D0834013

LAATSTE SCHOOLDAG

BOEKEN VAN JAN SIEBELINK

Nachtschade (verhalen, 1975)
Een lust voor het oog (roman, 1977)
Weerloos (verhalen, 1978)
Oponthoud (novelle, 1980)
De herfst zal schitterend zijn (roman, 1980)
De reptielse geest (essays, 1981)
En joeg de vossen door het staande koren (roman, 1982)
Koning Cophetua en het bedelmeisje (verhalen, 1983)
De hof van onrust (roman, 1984)
De prins van nachtelijk Parijs (portretten en gesprekken, 1985)
Met afgewend hoofd (novelle, 1986)
Ereprijs (novelle, 1986)
Schaduwen in de middag (roman, 1987)
De overkant van de rivier (roman, 1990)
Sneller dan het hart (portretten, 1990)
Hartje zomer (verhalen, 1991)
Pijn is genot (wielerverhalen, 1992)
Met een half oog (novelle, 1992)
Verdwaald gezin (roman, 1993)
Laatste schooldag (verhalen, 1994)
Dorpsstraat Ons Dorp (met J. Jansen van Galen, 1995)
Vera (roman, 1997)
Daar gaat de zon nooit onder (met R. Bloem en J. Speltie, 1998)
Schuldige hond (novelle, met Klaas Gubbels, 1998)
De bloemen van Oscar Kristelijn (verhalencyclus, 1998)
Mijn leven met Tikker (roman, 1999)
Engelen van het duister (roman, 2001)
Margaretha (roman, 2002)
Eerlijke mannen op de fiets (wielerverhalen, 2002)
Knielen op een bed violen (roman, 2005)
De kwekerij (verhalen, 2007)
Het gat in de heg (met Klaas Gubbels, 2008)

Vertalingen
J.-K. Huysmans, *Tegen de keer*
J.-K. Huysmans, *De Bièvre*

Jan Siebelink

Laatste schooldag

2008
DE BEZIGE BIJ
AMSTERDAM

Eerste druk (Meulenhoff) 1994
Zeventiende druk 2008
Omslagontwerp Brigitte Slangen
Omslagillustratie © Jessy Rietdijk, Soda Ontwerp
Foto auteur Gerlinde de Geus
Vormgeving binnenwerk Adriaan de Jonge
Druk Clausen & Bosse, Leck
ISBN 978 90 234 2579 3
NUR 301

www.debezigebij.nl
www.jansiebelink.nl

Inhoud

Laatste schooldag 7
De ochtend van Waterloo 25
Een evenwichtig bestaan 49
Museumplein 79
Het onbereikbare Kanaän 105
Met een half oog 133
Intercom 210
Ziekteverlof 231
Fraude 247
Afscheidsdiner 259
Ereprijs 271

Laatste schooldag

Bobby Kolvoort heeft zich tegenover mij verschillende keren over zijn veroveringen uitgelaten. Maar ik wist ook van hem dat ze de laatste jaren nauwelijks meer voorkwamen. Onlangs nog, toen ik hem bezig zag Mark Lukkien uit zes atheneum extra les te geven, kwam hij gehaast, te gehaast, naar me toe: 'Nee, het is op mijn leeftijd ook niet gemakkelijk meer om iemand te veroveren, maar het is wel het enige dat telt.'

Hij was vol goede moed. Op die Mark had hij alle hoop gevestigd. Mark had ik ook in mijn klas: lange wimpers, fraai smal gezicht, hoog opgeknipt haar. Ik geef direct toe: mijn collega heeft smaak. Zijn bijlesleerling is opvallend mooi.

Natuurlijk, we zijn allemaal ouder geworden en sommigen, zoals Henk Resink, zijn al niet meer onder ons. Aan Henk Resink kan ik niet denken zonder dat er een brok in mijn keel schiet. Hij verschijnt in mijn dromen, gekleed in zijn elegante roodsuède vest. Als jong docent zocht ik indertijd bij hem, de in het vak vergrijsde, steun en troost. Ik werd al gauw door de schoolleiding op de vingers getikt. Men vond dat ik een verkeerde vriend had uitgezocht en raadde mij aan hem los te laten. Henk was een *collègue maudit,* een collega die geen orde had, die voor spek en bonen meedeed, naar wie op vergaderingen niet geluisterd hoefde te worden, hoe lumineus zijn ideeën ook waren. Met Henk Resink is het slecht afgelopen.

Eric Wille, de schrijver, is het op het Willem de Zwijger ook niet goed vergaan. De oorzaken daarvan liggen gecompliceerder. Onze vriendschap is echter ongeschonden gebleven, is door de gebeurtenissen juist versterkt.

En Bosman? Is er sympathieker mens denkbaar? De fusie die het Willem de Zwijger aanging, nekte hem. Hij, als MAVO-man, verloor alle zelfverzekerdheid, werd bang voor de leerlingen. Maar met Bosman is het in zekere zin weer goed gekomen.

Dorien Kraats, de jonge lerares Nederlands, kan hier evenmin onbesproken blijven. Maar welke rol zij precies heeft gespeeld, zal wel nooit helemaal duidelijk worden.

Met Ralf Vollaard, doctorandus Engels en voorstander van speciale scholen voor hoogbegaafden, gaat alles naar wens. Hij is sinds kort rector van een categoriaal gymnasium en heeft een column in een ochtendblad waar hij zijn standpunten wekelijks toelicht.

En Oscar Kristelijn? Geestdriftiger docent was er in het lange bestaan van de school nog niet geweest. Eenstemmig had het Bestuur hem benoemd. Al heel spoedig was hij populair onder leerlingen en medewerkers en werd hij de lieveling van vrouwelijke collega's en bestuursleden. Oscar hield van het onderwijs, van de school, een uit 1953 daterend gebouw waar je de zorg en warmte, de aandacht voor het detail van het bouwen van die jaren terugvond – een overbodig maar sierlijk torentje, stervormige decoraties op het timpaan boven de hoofdingang.

Je kunt niet zeggen dat Oscar Kristelijn het op school niet volhield, zich niet handhaafde, een *burned out* leraar werd. Toch kwam er een moment dat hij zich terugtrok, schuw werd, in zijn lokaal bleef, leerlingen koffie liet halen, ten slotte zijn baan eraan gaf, om zich aan een geheel ander beroep te wijden... Creatiever, kleurrijker beroep?

Anderen bleven. Zoals Bobby Kolvoort. Wat is er de afgelopen jaren met hem gebeurd? Zeker, we zijn allemaal ouder geworden en op het eerste gezicht onderscheidt Bobby zich niet van ons. Zoals hij daar aan zijn tafeltje bij het raam zit, met zijn kopje koffie voor zich, lijkt hij op alle anderen. Maar terwijl zijn collega's zich druk maken over al die veranderingen in het onderwijs, houdt Bobby de klok van de docentenkamer in de gaten en een paar minuten vóór de bel zal gaan, beginnen zijn handen te trillen, speciaal zijn linker. Bobby zorgt er dan ook voor ruim op tijd zijn koffie op te hebben. Hij kucht, kucht weer. Dat kleine hoestje moet zijn angst camoufleren. De bel gaat en op dat moment, terwijl zijn collega's om hem heen overeind komen en elkaar lachend aanmoedigen met de aloude opmerking uit de docentenkamer: 'We mogen weer', verliezen Bobby's ogen alle uitdrukking. Bobby, vijf minuten voor aanvang van de lessen, sluit zich zo volledig mogelijk af. Het lijkt of hij zich concentreert. Hij is op de vlucht.

De pergola die de beide vleugels van het schoolgebouw met elkaar verbindt, stroomt vol leerlingen en docenten. Bobby staat als laatste op. Hij bukt zich om zijn tas te pakken en op dat moment trekt zijn wang samen, meestal zijn rechter, en sluit één oog zich. Hij komt met zijn tas overeind, heft het hoofd en steekt zijn scherpe kin als een centenbakje vooruit. Hij kan de hele wereld aan.

Hij is op weg naar zijn biologielokaal. Die tic van zijn wang is het laatste jaar erger geworden. Soms ook gaan er gemene schokken door zijn schouder. Dan blijft hij staan om zijn tas even neer te zetten. In de hal waar alle gangen op uitkomen, passeren leerlingen en docenten. Men schenkt nauwelijks aandacht aan hem. Bobby heeft voor de school afgedaan.

'Wat is er vandaag met Kolvoort aan de hand?' hoor ik iemand achter mij zeggen. In die stem klinkt geamuseerde minachting door. Ikzelf had vanmorgen vroeg al in de gaten dat er iets met Bobby was. Hij zag er een beetje feestelijk uit, een beetje jonger dan anders, in zijn witte pantalon en zijn hemd van beige linnen, dat wijd openstond en wat grijs borsthaar liet zien.

Het is vandaag ook een bijzondere dag voor de school. Over een halfuur zal de diploma-uitreiking in de aula beginnen. Op het podium staan palmen en de conciërges zijn extra stoelen aan het bijplaatsen. Meer dan tweehonderd leerlingen zullen het diploma in ontvangst nemen. De belangstelling van ouders en bekenden is elk jaar overweldigend. Na de plechtigheid in de aula zal er een gezellig samenzijn in de kantine plaatsvinden, die voor deze gelegenheid nieuwe gordijnen heeft gekregen.

'Kijk, die Kolvoort toch eens!' hoor ik weer zeggen. Bobby staat voor de zoveelste keer op, loopt met zijn koffie de pergola in, waar de kandidaten met spanning wachten. Op dit moment vindt in lokaal H de eindvergadering plaats waar het aantal geslaagden, gezakten en herkansers wordt vastgesteld. Hij gaat op zijn tenen staan, want hij is klein van stuk, kijkt tussen de hoge plantenbakken door naar buiten, lijkt iemand te zoeken. Komt de koffiekamer weer binnen, maakt aanstalten om zijn koffie neer te zetten, keert om, staat al weer in de pergola.

De deuren van het lokaal gaan open. (Ikzelf heb dit jaar geen examenklas en Bobby hebben ze in de loop van het jaar zijn examenklas afgenomen.) De conciërge roept via de intercom iedereen op naar de aula te gaan. In de drukte die ontstaat, verlies ik Bobby uit het oog.

Dan zie ik hem ineens gehaast het schoolplein aflopen. Ik wil nog roepen dat ik hem begrijp, dat hij helemaal gelijk heeft om naar huis te gaan, al is het een verplichting voor alle leraren, ook als ze niet in de examenklassen les hebben gegeven, om bij de plechtigheid aanwezig te zijn.

Bobby is op weg naar zijn huis, naar zijn stille vrouw, die hij in al die jaren slechts één keer naar een schoolfeest heeft meegenomen.

Mijn collega heeft alle greep op de klassen verloren. De rector heeft niet lang geleden een gesprek met hem gehad, Hij heeft hem aangeraden zich te laten afkeuren. Bobby zou kunnen zeggen dat hij altijd last van hoofdpijn heeft en daardoor veel lessen moet verzuimen. Na het gesprek kwam hij direct naar me toe. Hij zei dat hij nooit hoofdpijn heeft en niet meer verzuimt dan de gemiddelde leraar. Nu is de rector van plan een procedure op gang te brengen die zijn ongeschiktheid voor het onderwijs moet aantonen. Hij is misschien nooit een modelleraar geweest. Hij kon de klassen alleen onder de duim houden door eindeloze dictaten en veel schriftelijk overhoren. Dat hield in dat hij altijd zat te corrigeren. Na les gaan alle docenten direct naar huis. Bobby heb ik wel vaak 's avonds op school aangetroffen. Over de mouwen van zijn colbert had hij plastic beschermers geschoven.

Bobby heeft de klassen altijd moeilijk gevonden, durfde nooit met ze in discussie te gaan. Maar hij hield het. Hij sprak er nooit over, vocht die strijd alleen uit. Een paar jaar geleden is het begonnen dat hij mij onverwacht in de gang staande hield en zomaar opmerkte dat 'hij met vier atheneum juist heel goed kon opschieten', dat 'die HAVO-3b bij hem heel rustig was...'

Hoe erg het in zijn klassen was, begreep ik pas dit jaar, toen mijn dochter les van hem kreeg in de brugklas. Regelmatig, maar op de meest onverwachte momenten, werd zijn les onderbroken door een soort melodietje, dat door de klas met gesloten mond gezongen werd, dat langzaam aanzwol, dat overging in woorden... stik, vuilak... stik... En het gebeurde in alle klassen, alsof er afspraken waren gemaakt, en het werd nog gesist als hij zijn lokaal al uit was, in de pergola, of buiten, op het grote plein voor de school, als hij zich niet haastig uit de voeten maakte. Ze zouden nooit meer ophouden, wilden hem de school, zijn beroep uit jagen.

Niemand kon hem helpen. Als zo'n leraar de deur van zijn klas achter zich dichttrekt, is hij met zijn beulen alleen.

Bobby Kolvoort was net veertig toen ik kennis met hem maakte. Nooit zal ik die glorieuze ochtend, eind augustus, vergeten toen ik de school binnenstapte, kersvers van de universiteit, en doodsbenauwd. Mijn eerste baan, met geen andere ervaring dan de verplichte stageperiode.

De bel. Dezelfde bel die Bobby zijn tics bezorgt, de laatste jaren. Met honderden leerlingen en mij onbekende docenten liep ik de pergola in, kwam in brede gangen, beklom trappen naar etages. Heeft Bobby toen mijn angst gezien? Zag hij in zijn overgevoeligheid, als enige, mijn angst? Zag hij een broeder in mij? Opeens liep hij naast me, stelde zich voor, een kleine gedrongen man, vriendelijk, verlegen.

'Je redt het,' zei hij op het moment dat ik mijn klas binnenging, en na de eerste les kwam hij direct naar me toe, zei alleen: 'Nou, wat heb ik je gezegd!' Hij was blij voor mij. Ik was hem dankbaar, want hij had mij zelfvertrouwen gegeven. Ik geloof zelfs dat die paar woorden van Bobby Kolvoort over mijn schoolcarrière beslist hebben. Ik was zo onzeker...

Bobby heeft zich vanaf het begin een beetje verantwoordelijk voor me gevoeld, geloof ik. Op een dag zei hij tegen me waarom hij onmiddellijk al op mij gesteld was. Gedrongen mensen boezemden hem vertrouwen in. Een erfelijke kwestie. Zijn vader, zijn grootvader, zijn hele familie, allen hadden zij de aarde bewerkt...

Op een dag maakte ik een bewonderende opmerking over de bloeiende planten in zijn lokaal. Hij kweekte ze in glazen bokalen, zonder aarde. Aan het water voegde hij grondstoffen toe. Enthousiast sprak hij mij over rassenveredeling, oculeren, hydrocultuur.

Datzelfde voorjaar nam hij me een keer mee naar het heuvelachtige terrein achter de school. Vanaf de hoogste toppen zag je de hei; in de dalen kleine meertjes, meestal in de vorm van een ovaal, helderblauw, rimpelloos. We daalden na schooltijd af naar een van die moerassige dalen. Soms gleden we uit over een met korstmos begroeid talud, hielden elkaar lachend in evenwicht.

Beneden keek Bobby eerst in het rond en met een beetje geluk wees hij mij op een mannetjessalamander, die met gekromde rug en opgezette kam dwars voor een aanbeden wijfje lag en, opspringend, met zijn staart een zuil water in haar richting sloeg. 'Niet zijn enige kunstje om haar te verleiden,' zei Bobby. 'Kijk wat hij nu doet!' Het mannetje ging met zijn gezicht tegenover het wijfje staan en zwiepte met zijn staart water in haar richting. Water dat eerst langs zijn eigen lichaam is gegaan en zó geurstoffen heeft opgenomen. De vermaarde 'geurserenade'. Dan daalden we dieper af. Bobby hield ineens zijn pas in. Vlak boven het bruin van spochtig houtafval en rottend blad stond een weergaloos mooie bloem: het venusschoentje. We bukten ons. Hij toonde de gespikkelde geslachtskolom, het goudgele schoentje. 'Een orchidee die steeds zeldzamer wordt...' Maar zo'n plant staat nooit alleen. In de humus van een bijna vergane boomstronk vonden we een paar meter verder, beschut achter een koningsvaren, nog zo'n bloeiende orchidee. De zon viel op het gele schoentje, dat transparant werd en een bij zichtbaar maakte. De bij probeerde uit de bloem te klauteren. Na een korte klim langs de loodrechte wand viel ze terug. Na tientallen vergeefse pogingen begon de bij te zoemen en trachtte met de extra steun van haar vleugels omhoog te komen. Zes pootjes zagen we tegen de steile wand, die toen weggleden. De bij stortte omlaag, bleef uitgeput liggen. 'Dat gele venusschoentje is een val waaruit geen ontsnappen mogelijk is...' Hij sprak zijn woorden heel vlug uit, bijna fluisterend in dat blauwgroene licht van het dal, alsof hij bang was dat ik hem zou onderbreken. Ik onderbrak hem niet, ik luisterde, gefascineerd, want ik kon nog geen dahlia van een gladiool onderscheiden.

We liepen terug naar het eerste plantje. Een aanvliegende bij ging op de rand van de lip zitten, keek om zich heen en gleed plotseling langs de steile, naar binnen gekeerde helling in het schoentje.

'Waarom kan ze zich niet staande houden,' vroeg ik hem, 'dat kan ze toch ook op een spiegelgladde ruit?' Hij haalde een handvol water uit het meertje, druppelde het water op de lip van het schoentje. Het liep ervan af zonder het oppervlak nat te maken. 'De binnenwand en de naar binnen gerichte wanden zijn met een soort olie bedekt,' zei hij. 'De lip is een levensgevaarlijke glijbaan...'

Ik bewonderde het ingenieuze loksysteem waarmee deze plant was toegerust. En voor we de heuvel weer beklommen, op weg naar school, en die gelukzalige plaats verlieten, wrikte hij met een uitklapbaar vorkje in de weke grond... Na een paar tellen kwamen er ritnaalden, miljoenpoten, engerlingen en emelten te voorschijn.

Ik denk aan mijn collega, terwijl de rector de aanwezigen in de aula toespreekt, meedeelt dat het percentage geslaagden bij ons weer boven het landelijk gemiddelde ligt. Ik maak deze plechtigheid voor de tiende keer mee en als altijd is het nooit helemaal stil en neemt de hitte toe. Ik zit niet zo ver van een nooddeur die achter de coulissen op het podium uitkomt. Ik denk aan Bobby Kolvoort die nu op weg naar huis is.

Gebukt verlaat ik de aula, kom via een nooit gebruikte gang in de docentenkamer, die geheel verlaten is. Er is nog koffie in de automaat, ik schenk een kopje in, blader in een onderwijstijdschrift, dat *Didaktief* heet, en overweeg naar huis te gaan. De diploma-uitreiking zal zeker twee uur in beslag nemen. De rector wil, om de ouders zijn persoonlijke band met de leerlingen te tonen, dit jaar elke geslaagde persoonlijk toespreken. Straks kom ik misschien terug om het feestje in de leerlingenkantine mee te maken.

Ik sta op, kijk over de binnenplaats waar al jaren geleden het saaie tegelplateau plaats heeft gemaakt voor een verwilderde tuin. Nog een initiatief van Bobby.

Op een mistige dag ben ik alleen het dal in gegaan. Misschien benieuwd of ik op m'n eentje dat zeldzame plantje kon vinden?

Er hing zo'n dichte nevel beneden dat ik niet eens de overkant van het meertje kon zien. Het licht was grijsblauw, koel grijsblauw, en terwijl ik aan het water stond en het stille oppervlak zag, kwam het beeld van een bevroren vijver in me op en omdat de oever aan de overkant niet te zien was, strekte de ijsvlakte zich oneindig ver uit. Ik dacht aan mijn dochter van vier, die ik hier de komende winter ging leren schaatsen; ik zou haar op het talud van bevroren mos de schaatsen onderbinden en elkaar vasthoudend zouden we samen de eerste stappen op het ijs zetten. Ik zag ons al op het meer lopen en glijden en vallen en ik zag hoe we als één gestalte in het tot op de bodem doorzichtige ijs werden weerspiegeld. Ik kon mij geen groter geluk voorstellen. Zo stond ik toen wat te dromen op die verstilde plaats, meende zelfs een moment haar stemmetje te horen...

Nog helemaal boven aan de heuvel, maar met stemmen die vreemd schel weerklonken in het dal, gelukkig nog aan het oog onttrokken door een bosje sparren, zag ik Bobby, in gezelschap van iemand anders, mijn richting uit komen. Waar het dal versmalde, vond ik een schuilplaats. Liever was ik helemaal verdwenen, maar er loopt slechts één pad naar boven. Toen ze dichterbij kwamen, zag ik dat hij in het gezelschap was van Mark Lukkien. Ze gingen samen aan de rand van het meertje staan. Bobby wees op iets in het water, vlak aan de oever, bukte zich. De jongen deed intussen zijn schoenen en sokken uit. Hij stond met zijn blote voeten op het mos toen Bobby met een of ander bloeiend takje op hem toe kwam. Ik zag heel duidelijk dat de bloemen gerangschikt zaten als bij een aar. Hij liet hem de bloem zien die het verst geopend was. Ze had een roze spoor en een donkere lip. De jongen raakte de bloem met zijn vinger aan. 'Net fluweel,' hoorde ik hem zeggen, 'rood fluweel.' 'Net vlees,' antwoordde Bobby, 'het is een louche bloem.' De jongen trok zijn broekspijpen wat omhoog, omdat zijn voeten diep in het spochtige mos wegzakten. Zijn enkels waren getatoeëerd met kleine bewegende schaduwen...

Ik luister naar de geluiden die uit de aula komen. Er wordt geapplaudisseerd. Soms lang, soms kort, afhankelijk van de populariteit van de geslaagde kandidaat. Er zijn zelfs van die schuwe leerlingen voor wie geen handen op elkaar gaan. Het is een pijnlijke bijeenkomst. Ik besluit naar huis te gaan en niet meer terug te komen. Een beetje solidair met Bobby zijn. Zinloze solidariteit.

Dan hoor ik de buitendeur opengaan, ik zie Bobby binnenkomen. Hij slaat direct linksaf, gaat naar zijn lokaal. Hij wierp wel een blik in de richting van de koffiekamer, maar hij kan mij niet hebben gezien.

Ik volg hem op grote afstand. Hij heeft iets in zijn hand, maar ik kan het hier in het halfduister van een garderobenis niet goed zien.

Hij doet de deur van zijn lokaal dicht. Als ik naar de etage loop, kan ik door een bovenraam bij hem naar binnen kijken zonder gezien te worden.

Hij loopt door zijn klaslokaal, ik geloof dat hij zijn ogen gesloten heeft. Nu tekent hij met duim en wijsvinger van zijn beide handen rondjes op zijn ogen. Maar ik zie niets op zijn tafel liggen. Ik heb geen idee wat hij in zijn hand heeft gehad.

Terug in de pergola spreken ouders die te laat zijn gekomen, mij aan. Via de nooduitgang breng ik hen naar de aula. Omdat de rector toevallig mijn kant uit kijkt, ga ik ook weer zitten. Maar men zet er nu vaart achter, is al aan de laatste groep leerlingen toe. Tien minuten later loopt de aula leeg. Leerlingen die ik eerdere jaren in mijn klas heb gehad, komen met hun diploma naar mij toe om gefeliciteerd te worden. Ten slotte kom ik in de pergola. Hier, in het centrale gedeelte van het gebouw, staat iedereen opeengepakt. Felicitaties, omhelzingen, kreten van vreugde, veel bloemen. Grote boeketten. Er zijn geslaagden met armenvol. Dan zie ik mijn collega, een beetje terzijde, uit het gewoel, half verscholen achter een plantenbak. In zijn handen, half achter zijn rug, als op die oude moederdagaffiches, houdt hij een biedermeier-boeketje. Heel fijntjes. Het steekt af bij al die grove anjers en irissen, die iedereen heeft. Op nog geen twee meter staat Mark Lukkien. Bobby probeert de aandacht van Mark te trekken, komt nu van achter de planten te voorschijn, dringt zich naar voren, heeft alleen oog voor hem. Maar Mark wordt omhelsd door zijn ouders en dan door zijn vriendin. Zijn vriendin kust hem en blijft om zijn hals hangen. Ze doet heel overdreven, ze lijkt hem niet meer los te willen laten. Bobby houdt zijn boeketje in hun richting, maar ze hebben hem niet in de gaten. Ik zou het hem uit zijn handen willen rukken, maar het is onmogelijk om bij hem te komen, ik zou hem toe willen roepen om dat weg te stoppen. Als men hem in de gaten krijgt, zal hij vernederd worden. Nooit is hij zo kwetsbaar geweest. Maar ieder heeft alleen oog voor zijn directe naaste.

Dan komt er beweging in de mensen. Voetje voor voetje gaat men in de richting van de leerlingenkantine, waar iets zal worden geschonken. Mark passeert zijn biologiedocent op een meter, zijn vriendin nog steeds om zijn hals. Bobby wil hem aanraken, maar houdt zich, gelukkig, bijtijds in. Zijn mond trekt. Zegt hij iets? Roept hij zacht Marks naam, zonder dat er geluid uit zijn mond komt?

Hij wendt zich af. Meer om zich een houding te geven tuurt hij, met de hand boven zijn ogen, in het schelle zonlicht van de pergola. Misschien ontwaart hij iets, want om zijn lippen verschijnt een flauwe glimlach. Dan begint de arm die hij geheven houdt, te schokken. Daarna ook zijn hand die nog steeds dienst doet als zonneklep. Hij trekt één wang omhoog. Ik geloof dat hij huilt. Bobby, mijn collega, staat daar zo verloren, terwijl de anderen in een boog om hem heen lopen.

De ochtend van Waterloo

Dat rode vest is de enige élégance in de nogal kleurloze verschijning van zijn collega geschiedenis. Mager, iel uiterlijk, klein van stuk, gezicht van enkel spier en bot, vrij grote neus, heel lichte, wat verbaasde ogen. Misschien dat Henk Resink daarom op hem toeloopt. Hun lokalen liggen niet ver uit elkaar.

Peter is in lichte paniek. Nog geen drie dagen geleden is hij benoemd aan het Willem de Zwijger. Zijn eerste baan. Hij is net tweeëntwintig. Misschien komt het door zijn jeugdige leeftijd dat de leerlingen zo slecht naar hem luisteren. Hij heeft er behoefte aan troost te zoeken bij zijn collega, die daar rustig voor de deur van zijn lokaal staat.

Peter van Ofwegen stelt zich voor. Ze schudden handen. Peter ziet op het voorhoofd van zijn collega grote zweetdruppels, en zijn mond trekt een beetje naar links.

‘Ik ben bang dat ik het vak nooit leer,’ zegt hij, en Henk Resink legt bijna tegelijk met deze woorden al een beschermende hand op zijn schouder, spreekt hem moed in: ‘We hebben het allemaal moeilijk in het begin, maar geen partij is gespeeld voor de laatste kaart. Nooit is Napoleon dichter bij zijn eindoverwinning geweest dan op de ochtend van Waterloo.’

Peter knikt bewonderend. Dat zijn mooie flamboyante woorden. Woorden van iemand die gewend is om grof te spelen, woorden van iemand die met zorgeloos optimisme door het leven gaat. Ze passen ook aardig bij het elegante van zijn rode vest. Peter voelt op slag een grote sympathie voor zijn veel oudere collega. Het is duidelijk dat hij op school een beschermer nodig heeft, iemand die hem een beetje stuurt, wegwijs maakt, hem even bij de hand neemt...

Ze kijken de gang af om te zien of de leerlingen er al aankomen. In de verte bij de klapdeuren, net aangebracht op last van de brandweer, staat de conrectrix (de rector heeft zijn sabbatical jaar) te praten met enige heren van Bestuur en Curatorium. Ze kijkt hun kant op. Henk Resink beeft een beetje.

Peter vraagt hem of ze getrouwd is.

'Jenny Groen? Die houdt alleen van haar werk,' is het onmiddellijke antwoord. En dan, verbaasd: 'Waarom vraag je dat?'

'Wat?' Peter is in gedachten verzonken, denkt aan de grote vier atheneum die direct zal komen.

'Je wilde toch weten of ze getrouwd was?'

Ja, dat wilde hij weten, maar hij weet niet meer waarom. Waarschijnlijk was er geen echte reden voor die vraag geweest.

'Ik weet het niet, Henk,' zegt hij maar. 'Het was zomaar een vraag.'

Dan drommen de leerlingen de gang in. Peter kijkt naar Henks magere gezicht, dat nog kleiner lijkt te worden, naar zijn drie rimpels op het voorhoofd en één diepe onder aan zijn kaken. 'Echt Henk, zomaar.' Henk kijkt Peter ongelovig aan.

Peter heeft bij hem zijn toevlucht gezocht en dat moet hem geraakt hebben. Een les later staat Henk Resink in Peters lokaal en vraagt hem hoe de les verliep.

'Och...'

Hij spreekt hem moed in.

Om van onderwerp te veranderen vraagt Peter naar zijn werk op school, naar zijn vak. Dat wordt blijkbaar weinig gedaan, want hij lijkt geroerd en begint enthousiast over zijn vak te praten, doet een ongemeen felle aanval op de onderwijspolitiek die het vak geschiedenis steeds meer wil terugdringen, juist in deze tijd van vluchtige informatie.

'Net nog,' zegt hij, 'had ik een moeilijke klas, een uurlang heb ik ze over de grote Napoleon verteld, je kon een speld horen vallen, ik had ze desnoods op hun kop kunnen laten staan, werkelijk, Peter, ik had ze...' – en nu buigt hij zich naar hem toe en zegt terwijl zijn pezige hals vlak bij Peter is 'Peter, als ik wil... geef ik ze les met mijn pik!'

Een moment heeft hij het onaangename gevoel dat Henk hem wil overbluffen, hem nog kleiner wil maken, nog onzekerder, maar zijn collega geschiedenis voegt eraan toe: 'En jij zult ook zover komen en ik zal je daarbij helpen.'

Peter heeft na slechts enkele dagen al een vriend op school.

Diezelfde dag brengt de conciërge hem een boodschap van de conrectrix. Zij verwacht hem na zijn laatste les, die om drie uur eindigt, op haar kamer.

Het hart klopt hem in de keel. Zal hem nu al worden meegedeeld dat hij ongeschikt is voor dit beroep? Hij stelt zich het koele, voorname gezicht van Jenny Groen voor, de bleke teint, de kleine, maar krachtige neus, het rechte voorhoofd, die licht spottende lippen, die strakke, bijna transparante huid onder haar uiterst beweeglijke ogen.

De afgelopen dagen is hij haar enige malen in de pergola tegengekomen. Hij heeft haar gegroet, maar ze heeft hem niet gehoord of niet willen horen. Ze is ook groter dan hij, dus heeft ze hem waarschijnlijk tijdens de drukte van het leswisselen niet opgemerkt. Hij heeft haar nagekeken. Ze rende noch liep in de gewone betekenis van het woord. Haastte zich evenmin. Hij is haar meerdere malen gevolgd, op veilige afstand, om haar manier van lopen beter te kunnen bestuderen. Ze liep zoals heiligen dat vroeger waarschijnlijk deden, een tikkeltje boven de grond, in een voortdurende *levitatie.* In ieder geval was het onmogelijk om haar *gaan* in delen te ontleden, zo hecht en vloeiend gingen bewegingen van benen, dijen en lendenen in elkaar over.

Ze lijkt Peter nogal gesloten. Toch heeft hij ook meegemaakt dat ze in de pergola iemand aansprak, een gesprek begon, lachte. Ze heeft een manier van lachen die nogal donker klinkt. Te donker – Peter is op een kwekerij opgevoed en er schiet hem een merkwaardige vergelijking te binnen. Als hij Jenny Groen, de conrectrix van het Willem de Zwijger, ziet, moet hij altijd aan een plant denken. Planten 'soezen in', ontzien zichzelf een tijdje na iedere bloei, om weer op krachten te komen. Die vergelijking slaat nergens op, hij kent haar nauwelijks.

Boven haar deur brandt het rode lampje en ze mag dus niet gestoord worden, heeft bezoek of telefoneert. Hij loopt heen en weer in de pergola en houdt haar deur in de gaten. Ze laat hem lang wachten. Meer dan een uur. Wie weet zit het Bestuur achter die deur en wordt daarbinnen over zijn toekomst vergaderd!

Dan gaat de deur open en enige dames en heren verschijnen. Hij herkent enkele leden van het Bestuur en Curatorium, omdat ze ook aanwezig waren bij zijn sollicitatiegesprek. Hij neemt aan dat zijn functie in het geding is.

De conrectrix roept hem binnen. Haar stem klinkt afgemeten, ze gaat hem zijn ontslag aankondigen, na nog geen week lesgeven.

Hij volgt haar. Ze draagt een rode pull op een Schotse rok. Als ze de deur achter zich gesloten heeft, wijst ze hem een grote fauteuil aan, blijft zelf bij haar bureau staan.

'En hoe gaat het?' Ja, hoe gaat het. Peter is verrast door haar zachte, welluidende stem. Gek, dat iemand zulke verschillende stemmen kan hebben. Hij zegt dat hij het werk moeilijk vindt, maar dat hij al een collega heeft gevonden bij wie hij altijd terechtkan.

Daarom heeft ze hem juist laten komen.

Peter begrijpt haar niet.

'Van Henk Resink kun je niets leren.' Haar stem klinkt zo mogelijk nog zachter.

'Ik dacht...'

'Wat dacht je?'

'Dat hij een voorbeeldig docent was...'

'Ik raad je aan niet zo veel met hem op te trekken. Daar acht ik je te goed voor...' Haar lippen gaan van elkaar en hij ziet haar gebit, de zeer witte tanden die niet recht in het vlees steken, maar heel opvallend naar binnen zijn gebogen. Ze ademt snel, haar borsten bewegen onder haar rode trui. Hij denkt aan twee grote, zachte dieren, glijdend door een zandvallei.

Ze doet een stap in zijn richting, herhaalt: 'Jij bent daar te goed voor.'

Hij schrikt, denkt dat ze haar hand naar hem uitstrekt, maar ze voelt even aan de vochtige ruit. Dan gaat de telefoon. Ze knikt. Hij mag gaan.

In de pergola wacht Henk hem op achter een grote plantenbak met ficussen. Peter hoopt niet dat Jenny nu naar buiten komt en hen samen ziet. 'Kom mee,' zegt hij. Pas als ze uit het zicht van de school zijn en op het marktplein lopen, voelt hij zich gerust. Op het terras van café Marktzicht bestelt hij twee glazen bier. Henk veegt zijn voorhoofd af, merkt op dat het drukkend weer is. Hij is nieuwsgierig en wil weten wat de conrectrix met Peter te bespreken had.

'Ze wilde weten hoe het in de klassen ging,' houdt Peter zich op de vlakte.

Tegen middernacht zitten ze er nog. Niemand wacht thuis op hen. Henk is niet getrouwd en Peter woont in deze provincieplaats op kamers. Ze hebben de duisternis langzaam over het plein zien naderen. Lang nog hebben twee eksters elkaar krijsend nagezeten. Er was korte tijd het eentonige geluid van passerende auto's, en nu luisteren ze naar het ruisen van de platanen. Peter heeft zich geen moment verveeld.

Henk kan met enthousiasme over geldzaken praten. Peter kent dat ook wel. Ze zijn beiden immers van dezelfde eenvoudige afkomst.

'Gemakkelijk verdiend geld,' zegt zijn vriend nu,

'dat is het mooiste, duizendjes zomaar in je broekzak, die sensatie van zilveren munten die langs je vingers glijden, een klusje ritselend bankpapier, rijk zijn, puissant rijk zijn... als we het eens waren, Peter, zomaar, ineens, waar zouden we het dan aan besteden?'

Peter kan zo gauw niets bedenken. Henk Resink wel.

'We kopen de hele school op, sturen de Staf en het Bestuur weg, nemen zelf de leiding in handen..., een tweehoofdige leiding, een duümviraat, als de consuls in het oude Rome.' Dat hersenspinsel kwam er ongewoon agressief uit.

Een week later moet hij weer bij de conrectrix verschijnen. Waarom? Op school heeft Peter Henk soms gemeden, want hij wil Jenny niet tegen zich in het harnas jagen, hij staat toch al niet zo sterk. Maar Henk Resink volgt hem, schuift in de pauzes direct bij hem aan tafel. Henk heeft trouwens met weinig collega's contact.

Soms, als Peter nog bezig is in de klas iets op te ruimen, tikt Henk al nerveus tegen het raam om koffie te gaan drinken. Bang dat Peter bij een ander zal aanschuiven?

Gaat de conrectrix toch opmerkingen maken over zijn omgang met Henk Resink? Hij hoeft dit keer niet lang te wachten. Peter draagt vandaag zijn kostuum van beige flanel en zijn bordeauxrode schoenen, echte Portlands, made in Italy, lekker soepel. Hij had vanmorgen zin om dit kostuum, deze schoenen aan te trekken. Zou ze nu misschien zeggen dat zijn kleding te buitenissig was, dat die hem voor de klas te kwetsbaar maakte?

Jenny laat haar blik over hem gaan. Peter staat midden in het vertrek, voelt zich onhandig onder die blik. Dan schudt ze haar hoofd als om een hinderlijke gedachte te verjagen en wijst op een van de open kasten, die vol dossiers, stapels losse papieren en mappen liggen.

'Die vreselijke rommel,' zegt ze, 'zou jij me niet een keer willen helpen dat allemaal te sorteren...?'

'O ja hoor,' antwoordt hij bereidwillig. Haar vraag komt bij hem als een smoesje over. Mogelijk wil ze de pil van een ontslag op termijn vergulden.

Die middag al sorteert hij allerlei beschikkingen, bladert docentenboeken door om er artikelen uit te rubriceren. Het eerste kwartiertje blijft ze aan haar bureau werken. De laatste vijf minuten is ze al verschillende keren van plaats veranderd.

En nu zit ze aan de lange vergadertafel, waar hij zijn spullen op uitstalt. Hij heeft ook gezien dat het rode lampje staat ingeschakeld. Niemand zal binnenkomen, niemand zal zelfs maar op de deur kloppen.

Ze steunt op haar ellebogen, haar kin op de gevouwen handen. Als hij zich bukt om een blad papier op te rapen, ziet hij dat ze één schoen uit heeft en dat haar tenen ritmisch bewegen, alsof ze naar jazz luistert.

Peter begeeft zich naar een van de grote legkasten. Zij ook. Hij staat iets gebogen voor de kast en houdt haar in de gaten. Zij staat achter hem, iets naar links. Ze legt haar rechterhand op zijn schouder, de vingers gespreid, zo ver mogelijk. Die vingers beginnen te bewegen, ter hoogte van zijn sleutelbeen, als op een piano.

Langzaam keert hij zich naar haar toe. Voorzichtig maakt hij één voor één haar vingers los. Zij verwijdert zich van hem, gaat met vuurrode wangen aan haar bureau zitten, glimlacht met gesloten mond naar hem, mompelt: 'Ik begrijp je zo goed...'

Het lijkt of ze werkelijk ontmoedigd is. Ze vervolgt: 'Wat heb je goed laten merken dat je daar niet van gediend bent...' Op hetzelfde ogenblik kijkt ze hem spottend aan, lacht haar donkere lach. Misschien om die ontmoedigde toon te corrigeren, denkt Peter.

Weer glijdt haar blik over hem. Bijna een dokter die een wond aftast. Ze zegt dat hij oorlog voert zonder slag te willen leveren.

Het is een dag later. Voor Henks lokaal is rumoer. Leerlingen in de gang schreeuwen. Peter heeft Henk niets gezegd over zijn opruimingswerkzaamheden bij Jenny. Henk heeft hem wel bij Jenny naar binnen zien gaan, gistermiddag.

Peter loopt zo flink mogelijk op de leerlingen af, baant zich een weg naar de deur van Henks lokaal, maar durft eigenlijk niet naar binnen.

Het lokaal blijkt op slot. Door het raam ziet hij zijn collega zitten, onbeweeglijk voor zich uit starend. Het lokaal is leeg op twee leerlingen na; de andere hebben hun leraar opgesloten.

Autoritair gebiedt Peter de deur snel open te maken, is verbaasd als hij direct wordt gehoorzaamd. Hij loopt over het podium naar Henk toe en ziet dat op het bord een grote sticker is geplakt met de woorden: *Fuck the teacher.*

Intussen heeft ook de staf lucht van de zaak gekregen. Conrectoren hebben Jenny Groen gewaarschuwd. Al die autoriteiten komen de klas binnen, terwijl Peter zachtjes op zijn collega inpraat.

De leerlingen worden naar de kantine gestuurd en Henk wordt uit zijn lokaal geleid. Peter volgt op een afstand de kleine stoet die wordt gevormd door conrectrix, conrectoren en het slachtoffer. De optocht trekt door de pergola en gaat de kamer van Jenny binnen.

Peter blijft in de pergola achter. Na enige tijd komen twee heren gehaast via de hoofdingang de school binnen. Hij herkent hen als leden van het Dagelijks Bestuur, het DB. Zij groeten Peter en worden gevolgd door nog twee heren. Dan verschijnen twee dames van het Curatorium. Ook zij zijn gehaast en trekken energieke gezichten. Ze gaan Jenny's kamer binnen. Het moet daar inmiddels aardig vol zijn.

Om niet op te vallen houdt Peter zich schuil in de garderobe. Hij heeft geluk dat hij twee tussenuren heeft en de gebeurtenissen rustig kan afwachten. Zijn geduld wordt op de proef gesteld. Hij heeft met Henk te doen, want het is duidelijk dat daarbinnen ernstige dingen worden besproken. Soms verheffen

de stemmen zich, maar hij kan geen woord verstaan.
Hij denkt aan Henks rode vest en weet bijna zeker dat ze hem dat rode vest ook kwalijk nemen, als saillant bijkomend detail, dat het vonnis daarom extra hard zal zijn.

Hij lijdt met hem mee. Op dit moment spreekt in hem alles van dat gevoel, hij denkt zelfs in die schemerige, een beetje naar zweet ruikende garderobe dat hij nu voor altijd weet wat *medelijden* betekent.

Ten slotte gaat de deur open. De dames en heren verlaten snel het gebouw, stappen in hun op het schoolplein geparkeerde auto's. Vanuit de garderobe roept hij zijn collega, die als versteend alleen in de pergola achter is gebleven.

Hij legt een arm om Henk heen en samen gaan ze in de richting van café Marktzicht. Maar die paar honderd meter zijn voor Resink al een bovenmenselijke opgave. Hij gaat steeds langzamer lopen, staat dan ineens stil en dreigt om te vallen.

Peters stem kalmeert hem en na een tijdje kunnen ze doorlopen. In het café bet Henk zijn gezicht met een zakdoek, die hij tot een bal heeft samengeknepen.

Pas in de loop van de avond hoort Peter de toedracht, misschien omdat het toen langzaam aan wat stiller werd, misschien onder invloed van het zachte geruis in de kroon van de twee platanen op het terras.

'Henk Resink is van al zijn lessen ontheven.' In hun *mildheid* hadden ze hem de keus gelaten: zich vrijwillig ziek melden of onmiddellijke schorsing wegens onvermogen. Hij had voor het eerste gekozen.

Peter wil hem helpen, maar hoe? Zelfs als hij volledig macht over Jenny had gehad, zou hij haar niet hebben kunnen dwingen dit besluit terug te draaien. Het is een besluit van het Bestuur. Hij zou de dames en heren graag een enorme vuistslag verkopen, maar waartoe zou dat dienen? Hij zou zich slechts belachelijk maken. Op de vuist gaan strookt bovendien niet met zijn karakter. Wel is hij er nu nog zekerder van dat hij zeer gesteld is op Henk Resink, meer dan op wie ook. Dat maakt hem gelukkig, en een beetje opgewonden.

Een week later sorteert hij weer paperassen op Jenny's kamer. Ze draagt vandaag een blauwe, nogal verhullende bloes, die aan de polsen is ingenomen en aan de hals gesloten met een rond kraagje. Onder het werk denkt hij aan Henk Resink, die van school is verdwenen. Vlak voor kerst zal officieel afscheid van hem worden genomen.

Peter zit nu met een dik dossier aan de lage koffietafel, omdat de vergadertafel vol lestabellen ligt. Om het zich nog gemakkelijker te maken gaat hij staan, schuift de fauteuil opzij en bladert verder op zijn knieën. Al vrij snel komt ze bij hem staan, volgt zijn werk, maakt een zakelijke opmerking die er wat haperend uitkomt.

Ze gaat op haar knieën naast hem zitten: 'Laat je ogen zien!'

Hij merkt op dat het rode licht boven de deur is ingeschakeld. Ze kijken elkaar recht in de ogen. Hij wendt zijn hoofd af om weer aan het werk te gaan. Weer beveelt ze: 'Ik wil je ogen zien.' Hij gehoorzaamt, hoort haar snel ademen, speeksel doorslikken, wendt zich dan weer af, doet of hij met zijn werk verder wil gaan.

Zij beweegt slechts haar onderarm, pakt zijn pols, trekt hem naar zich toe.

'Ik hou van je ogen. Ze zijn groen en grijs en hebben kleine oranje vlekjes...'

Hij herkent haar stem, nu rauw en schor als van een zware rookster, nauwelijks.

Nog steeds houdt ze zijn pols omklemd, trekt hem

dichter naar zich toe, probeert hem te kussen, maar hij knijpt zijn lippen op elkaar. Boos duwt ze zijn gezicht weg.

De telefoon gaat. Voetstappen komen op de deur af.

Een week voor de kerstvakantie zit hij met Henk in café Marktzicht. Henks huid is grauw. Een zonnestraal tekent een blauwgrijze streep op de tegels. De schaduw van een tak tatoeëert zijn gezicht en je zou zeggen dat er een vers litteken dwars over zijn wang liep.

'Nog helemaal daargelaten of ik wel of niet op school functioneerde,' zegt hij, 'ben ik diep gegriefd over de wijze waarop ze mij gedwongen hebben de school te verlaten. Rechtspositioneel kan ik helemaal niet ontslagen worden. Ik had moeten weigeren met hen in conclaaf te gaan. Ik had me eerst beter moeten laten voorlichten...'

Om hem te troosten merkt Peter op dat hij zelf op school ook niet optimaal functioneert. 'Misschien missen wij beiden wel de gave om een hele klas met woorden te dwingen...'

'Misschien ja, maar vroeger ging het niet zo slecht met mij. Ik heb altijd redelijk orde gehad, maar op een dag gaf ik de klas de opdracht hun boek voor zich te nemen en ze weigerden en bloc.'

Hij zucht.

Peter ook. Dan vervolgt Resink: 'Toch wil ik zo niet van school weg. Bijna dertig jaar ben ik hier geweest. Alleen, ik wil geen officieel afscheid zoals de conrectrix heeft voorgesteld.'

Peter geeft hem gelijk. Geen toespraken.

'Daar raak je maar geëmotioneerd van. Ik heb een idee. Wat jij moet doen, is je grieven op papier zetten en die brief in het docentenboek plakken, met de hartelijke invitatie dat je op die en die avond open huis houdt en dat iedereen welkom is.'

Henk vindt het een mooi idee en vult geestdriftig aan: 'Ik zal schrijven dat ik met bitterheid in mijn hart wegga, maar hier ook veel mooie dingen heb beleefd.'

'Die kunnen ze in hun zak steken,' zegt Peter.

'Moet ik Bestuur en Curatorium uitnodigen?'

'Ja, dat moet je zeker doen, Dat is een groots gebaar. Daar zijn ze zelf niet toe in staat.'

Henk Resink krijgt steeds meer plezier in het plan. Peter stelt voor lantaarns in de tuin op te hangen, belooft hem ook met de inkopen te helpen.

'Ik verlaat het strijdperk met geheven hoofd,' zegt Resink bij het weggaan.

Henks avond wordt door onverwacht veel collega's bezocht. Ze hebben misschien het gevoel, denkt Peter, dat ze op de valreep iets goed moeten maken.

'Nou, nou, Henk, wat een mensen,' hoort hij iemand tegen zijn ex-collega zeggen. 'Daar kun je het mee doen. Tja, je neemt ook niet alle dagen afscheid.'

Peter ziet dat zijn vriend met voldoening om zich heen kijkt. Voor zijn doen ziet Henk er die avond goed uit: zijn mond trekt nauwelijks, zijn lichte, verbaasde ogen staan rustig en zijn voorhoofd transpireert niet.

Jenny biedt hem namens Bestuur, Curatorium en personeel een tuinstoel aan met verstelbare hoofd- en voetensteun. Henk bedankt met enkele goed gekozen woorden.

Peter neemt hem terzijde, complimenteert hem, zegt dat de avond fantastisch verloopt...

Henk Resink fluistert hem in zijn oor, half voor de grap: 'En als de paniek mij overvalt, weet ik wat ik doen moet, hoef ik mij maar uit te strekken op mijn chaise-longue, te vergeten... en de paniek gaat vanzelf voorbij.'

Peter en Henk Resink staan in de achterkamer. Buiten waait een ijzig windje en de lantaarns bewegen. De achtertuin is vol verwrongen vormen die op mensen lijken en over het gazon rennen. Het begint een beetje te sneeuwen, maar de vlokken zijn zo licht dat ze voor het raam blijven zweven.

'Paniek en angst zijn nu toch voorbij,' zegt Peter. 'Ja, je moet vergeten, Henk... alles vergeten en je alleen nog maar voor een paar kleine dingen interesseren: je tuin, een wandeling, een boek...'

Hij is ontroerd, trekt Peters hoofd naar zich toe. De beide mannen kijken naar de sneeuwvlokken en zouden willen dat de avond eindeloos duurde.

Er kwam een moment dat Peter hem even uit het oog verloor en hij vraagt of iemand weet waar Henk is.

'Hij ging net de trap op.'

Peter wil hem nalopen, ongerust, maar hij hoort hem gelukkig al weer naar beneden komen, in zijn hand het jaarboekje van de school, waarin behalve de statuten, de vakanties en de overgangsnormen ook de adressen van alle medewerkers zijn opgenomen.

Hij gaat op de rand van zijn ligstoel zitten, zijn boekje op schoot, een pen in zijn hand. Maar wat doet hij nu toch? Van Aalst, Van Alfen, Arendsen...

Nog voor Peter het beseft, begint Henk de namen van zijn collega's op te lezen. En wie vanavond geweest is, krijgt een kruisje. Hij moet daarmee ophouden, hij maakt zich belachelijk; Peter moet zich bedwingen om het boekje niet uit zijn handen te rukken. Henk gaat steeds luider praten, geeft commentaar op afwezigen. Het is zó gênant.

Peter kijkt om zich heen. Er zijn niet zoveel collega's meer en die er zijn hebben veel gegeten en gedronken en beseffen nauwelijks wat er gebeurt. Vanuit een hoek van de kamer kijkt Jenny Peter aan. Ziet ze hoe hij zich geneert?

Nu staat ze naast hem en samen kijken ze naar Henk Resink, die in het vage licht van de kamer het gezicht van een klein jongetje heeft. Een oud gerimpeld jongensgezicht.

In Jenny's kamer op school is het gezoem van de neonbuis hoorbaar. Ze trekt het gordijn dicht, blijft met gebogen hoofd staan. Een ooghaartje hindert haar in de linkerooghoek. Ze begint te wrijven, slaagt er niet in het te verwijderen. Hij helpt haar.

Alleen de bureaulamp brandt. Zacht oranje licht dat de omtrekken onscherp maakt. Nog voelt hij zich onhandig, heeft de indruk te dansen tegen de maat in, laat zich dan wiegen op de cadans van haar woorden. Peter denkt: Waarom zeg ik niet gewoon nee? Ik moet leren om iemand van me af te houden zonder die ander te vernederen. Een kus is voor hem tot nu toe de intiemste van alle strelingen geweest. Hij heeft nog nooit met iemand geslapen en er tot nu toe ook geen behoefte aan gehad. Misschien heeft hij die gevoelens niet of zijn ze bij hem minder sterk ontwikkeld.

Jenny's ogen staan wijd open. Hij ziet de spierknoop in de ruimte tussen de wenkbrauwen zich spannen en ontspannen. Bijna bedeesd strijkt hij met een vinger over de huid vlak onder haar ogen, doorgaans het gevoeligste deel van het gezicht en de conrectrix fluistert verwarrende woorden: 'O god... wat voel ik me goed bij jou...'

Dan onttrekt Peter van Ofwegen zich aan haar, mompelt dat de hele affaire rond Henk Resink hem nog dwarszit...

De volgende dag begint Peter pas het vierde uur. Hij verschijnt tegen elven op school en hoort via de intercom de stem van de conrectrix: 'Collega Resink heeft met volle inzet van zijn talenten zijn vak gedoceerd...'

In het docentenboek staat een kort bericht, vlak onder Henks afscheidsbrief met invitatie aan de school.

Ontdaan zoekt Peter zijn klaslokaal op. Zou het wel een hartaanval geweest zijn? Hij is niet in staat les te geven en stuurt de leerlingen naar de kantine.

In de pergola komt hij Jenny tegen. Ze loopt snel en is in gezelschap van alle conrectoren. Haar gezicht is in-bleek. Hij probeert haar aandacht te trekken, maar ze lijkt hem niet te zien. Als ze zich weer in de richting van haar kamer begeeft, volgt hij haar op geringe afstand, noemt haar naam, maar ze sluit direct de deur achter zich, schakelt het rode lampje in.

Hij móet nu met haar over Henk Resink praten, hij wil haar handen voelen, haar witte tanden. Hij blijft in de gang rondhangen. Als ze naar buiten komt, schiet hij haar aan.

'Ik wil je spreken...'

Even denkt ze na, zegt dan met neutrale stem: 'Ik roep je wel als ik je nodig heb.'

Peter is door de school gaan zwerven en ten slotte teruggegaan naar zijn lokaal. Omdat alle lessen na de tweede pauze zijn afgelast, kan hij rustig aan zijn dode vriend gaan denken. Dit beeld is het sterkst: Henk die op zijn zojuist ontvangen chaise-longue zit, wat ongemakkelijk, namen van collega's opleest, namen aankruist, in die al bijna lege kamer... met buiten de bijna gedoofde lantaarns en de sneeuwvlokken die er maar niet toe kunnen komen op de grond neer te strijken...

Hij verlangt naar Jenny, hunkert, neemt zich voor net zolang in zijn lokaal te blijven tot ze hem bij zich roept, hoort voetstappen in de lege gang, in de uitgestorven school...

Een evenwichtig bestaan

Later, als ze over de gebeurtenissen spraken – en ze spraken er sinds Erics schorsing dagelijks over in café Marktzicht –, waren ze vooral verbaasd dat de dingen zo'n onverwachte wending konden nemen. Beiden, Ernst Greve en Eric Wille, vroegen zich af, weemoedig starend over het verlaten marktplein, of ze misschien hadden kunnen voorzien dat iets zijn einde naderde, of er tekenen waren geweest, verontrustende signalen. Eerst ontkenden ze, maar bij enig nadenken moesten ze toegeven...

Een jaar geleden solliciteerde Ernst Greve, net afgestudeerd aan de universiteit van Leiden, naar de betrekking van docent Nederlands aan het Willem de Zwijger College te E.

Hij kreeg een uitnodiging voor een gesprek. De rector ontving hem in zijn kamer. Ernst beantwoordde een aantal vragen. Daarna gaf de rector enige informatie over de school, roemde het oecomenisch-christelijk karakter, de centrale ligging, de vele buitenschoolse activiteiten, memoreerde ook het vijftigjarig bestaan dat het Willem de Zwijger dit jaar uitbundig zou gaan vieren. Aan het einde van die opsomming zei hij: 'En we hebben hier natuurlijk Eric Wille!'

Ernst was blij verrast. Over hem had hij zijn doctoraalscriptie geschreven. Eric Wille was zijn favoriete schrijver, was iemand die al jaren telde in zijn leven. Het was Ernst wel bekend dat hij zich in E. had gevestigd omdat de grote stad met al zijn verlokkingen te veel afleidde, en dat hij zich, ondanks een onderwijsbevoegdheid Frans voor het middelbaar onderwijs, in eerste instantie aan het schrijven wijdde.

Ernst kreeg een aanstelling, en tijdens de openingsvergadering aan het begin van het schooljaar zou hij hem dus voor het eerst in levenden lijve ontmoeten.

Hij was die ochtend ruim op tijd en zocht een plaats bij de ingang zodat hij Wille de docentenkamer zou zien binnenkomen. Thuis had hij op zijn laatste boeken nog eens goed de foto bekeken; hij zou hem onmiddellijk herkennen. Ernst was licht gespannen. Hij was bang dat de lijfelijke aanwezigheid van de schrijver de glans van het geschreven woord zou aantasten.

Hier en daar zaten al enkele collega's die, naar Ernst vermoedde, verdiept waren in de agenda van de vergadering. Gebogen bladerden ze in de vele bijlagen.

Na een tijdje werd het drukker. In de pergola stonden groepjes leraren met elkaar te praten. Ernst ving 'Ardèche', 'Languedoc' op. Ze spraken over de voorbije vakantie, zagen er allemaal gebruind en opgewekt uit.

Rector en conrectoren namen plaats achter de lange tafel op het podium. Ook de docenten werd nu verzocht hun plaatsen in te nemen. Het lerarenkorps telde, afgezien van het onderwijsondersteunend personeel, meer dan honderd personen.

Ernst had Wille niet gezien. Was hij afwezig? Of was hij toch aan zijn aandacht ontsnapt? Dat was niet ondenkbaar omdat hij zich enkele malen had moeten voorstellen aan leden van zijn sectie Nederlands.

De rector opende de vergadering met een lange speech waarin hij de verderfelijke onderwijspolitiek van Den Haag aan de kaak stelde. Het blije nieuws bewaarde hij voor het laatst: het jubileum van de school. Hij kon nu al namens Bestuur en Curatorium zeggen dat dit feit groots gevierd zou worden. Er zou een volle week feest zijn en de viering in het voorjaar zou worden ingeluid met een party voor alle medewerkers van de school. Mededelingen daarover zouden hen tijdig bereiken. *Men wordt niet alle dagen vijftig.* Er ging een kleine golf van warme goedkeuring door de vergadering. De rector eindigde met de mededeling dat de lokale pers tijdig op de hoogte zou worden gebracht. Berichten over alle feestelijkheden zouden mogelijkerwijs ook de, overigens landelijke, terugloop van leerlingen kunnen keren.

Het werd een lange vergadering. De agenda had Ernst bewaard. 1. Identiteit van de school. 2. Verhouding ALV / MR / DORA. 3. Disfunctioneringsgesprekken. 4. Taakuren... Ten slotte de rondvraag. Over alle punten werd uitvoerig gediscussieerd. Veel kwam hem onbegrijpelijk voor. In de loop van het jaar zou hij de afkortingen wel onder de knie krijgen. *Algemene leraarsvergadering. Medezeggenschapsraad. Docentenraad,* enzovoort.

Er werden voortdurend stemmingen en peilingen

gehouden. Dan werden handen omhooggestoken. Ernst nam altijd het meerderheidsstandpunt in.

Aan het begin van de vergadering waren door de notulant de afwezigen opgenoemd. Wille was daar niet bij. Hij zou toch ergens moeten zitten. Wie het woord voerde, ging staan. Er was toch zeker wel een punt op de agenda waarover de schrijver zijn licht zou willen laten schijnen. Maar de betogen duurden lang en werden regelmatig onderbroken door 'voorstellen van orde'. Later begreep hij dat dit een veel gebruikte tactiek was: men stelde procedurele kwesties aan de orde om een spreker uit balans te krijgen.

Ernst verveelde zich een beetje, keek door het raam van de docentenkamer naar de fontein op de binnenplaats. In het zonlicht veranderde het water onophoudelijk van tint. Hij had er plezier in snel namen te bedenken voor de verschillende kleurschakeringen: hemelsblauw, zwavelgeel, mahonierood. Of hij liet zijn blik langs de tafel op het podium dwalen waar de staf zat. Een van de conrectoren, rechts van de rector, veegde met geregelde tussenpozen, in korte abrupte bewegingen met de rug van zijn hand over het tafelblad. Daar moest een afschuwelijke vlek zitten. Van leerlingen begreep hij al gauw dat hij zo ook zijn schoolbord schoonmaakte, zelfs al was er niets op geschreven. Deze conrector heette Minkman en Ernst schatte hem op een jaar of veertig. Als hij lachte, leek hij jonger.

Eindelijk kondigde de rector de rondvraag aan. Er werd gretig gebruik van gemaakt.

'Wie nog?' vroeg de rector rondkijkend, de voorzittershamer in zijn hand.

Van achter een plantenbak met woekerende philodendrons kwam een man omhoog. Daar was hij! Veel kleiner dan de foto's suggereerden. Maar hij was het! Zijn lange gezicht, het haar strak achterovergekamd, zonder scheiding. Een onopvallend kostuum. Zijn bijdrage aan de discussie zou Ernst nooit vergeten. Hij pleitte voor een zorgvuldiger beplanting van de borders rond de school. Zijn optreden verwekte lichte deining. Er werd gegniffeld. Achter zich hoorde Ernst iemand een verwensing mompelen. Uit de reacties begreep hij dat Wille al jaren, in vele varianten, de beplanting aan de orde stelde.

De vergadering werd gesloten. Ernst wilde Willes kant uit lopen om hem beter te kunnen zien, maar hij kreeg geen kans: Minkman, die als eerste conrector belast was met de opvang van nieuwe docenten, riep hem. Op zijn kamer kreeg hij extra informatie over het rooster, het strafbeleid ten aanzien van leerlingen, becijfering van repetities... Daarna stelde de conrector hem voor het gebouw te tonen zodat hij enig inzicht zou krijgen in de ligging van de lokalen. 'Want,' zei hij, 'docenten en leerlingen wisselen elk uur van lokaal. Met één uitzondering...' voegde hij eraan toe.

Toen ging de telefoon. Het gesprek duurde lang. Aan een van de wanden hingen foto's. Ze stelden alle het docentenkorps voor, vanaf de oprichtingsdatum. Wille was in 1975 aan het Willem de Zwijger College benoemd. Ernst kon hem met moeite ontdekken. Hij stond altijd achteraan, op een van de flanken, en keek opzij. Alsof zijn aandacht net was afgeleid. Binnenkort zou er een foto zijn waarop ook hijzelf voorkwam. Op één foto samen met Wille. Hij werd er een beetje duizelig van. Hij, Ernst Greve, was ook een schakel in die lange rij. Een wolk van getuigen.

Hij liep met Minkman mee door het gebouw, probeerde zich de lokalen, aula, kantine in te prenten, maar was al na enkele minuten het spoor volkomen bijster. Dit op het eerste gezicht zo overzichtelijke gebouw – rond een binnenplaats, met vleugels verbonden door de pergola – bleek vanbinnen een doolhof van gangen en trappen, met onbegrijpelijke bochten, wendingen en vertakkingen. Hij zou heel wat tijd nodig hebben om hier vertrouwd te raken.

Minkman vroeg hem naar zijn indruk van de openingsvergadering. Met zijn gewoonte alles en iedereen direct en zo nauwkeurig mogelijk te definiëren had hij Minkman voorlopig als *niet meegaand* gelokaliseerd. Ernst moest hem te vriend houden. Hij was de belangrijkste man in het veld.

'Ik heb veel gehoord,' hield hij zich op de vlakte. 'Ik heb veel aantekeningen gemaakt; ik zal nog veel moeten leren.'

Ze daalden een trapje van enkele treden af en kwamen in een lange, schemerige gang. Steeds dieper drongen ze de school binnen. Liepen niet langer op plavuizen, maar op een planken vloer. Minkman legde uit dat de school een tweede binnenplaats bezat. Hier waren noodlokalen gebouwd ten tijde van de sterke groei begin jaren zeventig. Ze passeerden kale, lege lokalen, zonder meubilair. In sommige hing het schoolbord voorover of scheef. De gang werd nauwer, donkerder. Het plafond vertoonde vochtvlekken. Minkman ging hem voor, nam hem als het ware op sleeptouw.

‘Hier zou ik niet graag lesgeven,’ zei Ernst, om iets te zeggen.

‘Er zijn er die daar anders over denken,’ zei de conrector cryptisch.

Even later stonden ze stil voor het laatste lokaal aan de gang, die doodliep. Op het bord de vervoeging van het werkwoord *être;* boven het bord het Belgische verkeersaffiche: *Tu ne me séduis pas si tu vas vite.* Vanaf het affiche keek een mooie vrouw de gemeubileerde klas in.

‘Het lokaal van collega Wille,’ zei Minkman.

‘De schrijver?’

Minkman knikte. ‘Geen goeie schrijver,’ schamperde hij. ‘Psychologisch kloppen zijn boeken niet.’ Zijn laatste boek had hij van een kennis cadeau gekregen, had het wel direct gelezen. ‘Hij is tenslotte mijn collega, én hij schrijft. Maar nee, het is niet echt goed. Ik heb daarna een verfrissend bad in *Het glinsterend pantser* genomen. Tja, Vestdijk, zoals die man zijn karakters opbouwt...’

Ze gingen terug. Je hoorde je eigen voetstappen. Hier kon geen enkel geluid uit de school doordringen. Wille had zich *verschanst.*

In de weken die volgden, zocht Ernst een gelegenheid om met hem in contact te komen. Meestal verscheen Wille in de pauze in de docentenkamer om koffie te drinken. Maar hij zat dan alleen aan een tafel bij het raam en keek naar de fontein of bladerde in een tijdschrift. Als iemand het woord tot hem richtte, was hij zichtbaar verrast. Ook maakte Ernst mee dat hij op de drempel van de docentenkamer bleef staan, alle aanwezigen overzag, zijn ogen een beetje toegeknepen. Hij keek naar hen door zijn oogharen heen, als schatte hij ze op waarde, zoals een eigenaar dat doet, iemand met kennis van zaken, en verdween weer zonder koffie te hebben gedronken.

Had Wille de kracht van zijn blik dan niet gevoeld, de sterke drang enkele woorden met hem te wisselen?

Op een dag deed Ernst of hij verdwaald was. Wille kwam juist zijn lokaal uit. Ernst trok een hulpeloos gezicht, zei dat het gebouw hem nog steeds voor raadsels stelde.

Zo maakte hij kennis met Wille. Hij vertelde dat hij pas benoemd was. Wille verontschuldigde zich dat hij hem nog niet op school had opgemerkt. Toen Ernst hem ook nog vertelde dat hij een scriptie over het ruimtelijk aspect in zijn boeken had gemaakt, excuseerde de schrijver zich opnieuw, en bood aan om na de laatste les iets in café Marktzicht te gaan drinken.

Een uur later liepen ze, in druk gesprek gewikkeld, samen de school uit. Hij, Ernst Greve, met Wille. Dat hadden zijn oude studiegenoten eens moeten zien. Toen ze even stilstonden merkte hij op dat Minkman, die net in zijn auto stapte, hen nakeek.

De daaropvolgende dagen trof Ernst Wille niet in de docentenkamer. Eén keer kwam hij hem tegen in de grote hal waar de trappen op uitkomen. Hij scheen te aarzelen over de weg die hij zou volgen. Toen hij Ernst zag, kwam hij op hem toe. Ze spraken over onbeduidende dingen. Minkman passeerde hen. Toen de bel ging, vroeg Wille Ernst om eens langs te komen in zijn lokaal. Ernst liet zich niet smeken en de volgende dag dronken ze samen koffie in Willes afgelegen leslokaal. Hij vroeg naar zijn ervaringen als beginnend docent. Ook kwamen zijn boeken even ter sprake.

Dat herhaalde zich enkele malen. Op een dag was Ernst met hem in gesprek toen ze voetstappen hoorden.

'Dat is Minkman,' zei Wille.

'O, zit je hier,' zei deze tegen Ernst. 'Ik heb je laten

omroepen, maar de intercom bereikt deze uithoek natuurlijk niet.'

Ernst had het gevoel of hij op heterdaad was betrapt. Hij liep met Minkman naar diens kamer. Intussen kreeg hij te horen dat een leerling zich over een te laag cijfer had beklaagd. Ernst zei dat hij dat met die leerling al in orde had gemaakt.

'Goed, goed,' mompelde de conrector, 'dan hebben die dingen elkaar gekruist. Loop toch maar even mee.'

Op zijn kamer bleef hij tegenover hem staan. Zijn blik was vriendelijk, beschermend.

'Je moet goed begrijpen... natuurlijk bepaal je zelf met wie je wilt omgaan... ik denk dat het goed is, zeker voor iemand die net met zijn loopbaan begint... nou, ik geloof dat je beter niet met die Wille kunt omgaan...'

Heel even nam Ernst zijn woorden niet serieus. Het ging natuurlijk om zo'n ritueel plagerijtje, dat juist het tegendeel bedoelde. Ernst lachte maar een beetje. Toen leek Minkman beledigd. Zijn grote, al bijna kale hoofd werd rood. 'Wille,' ging hij verder, 'is misschien op zijn manier een goed docent, maar hij houdt afstand. Ons bestaan en het bestaan van de leerlingen raakt hem niet wezenlijk. Ik verdenk hem er zelfs van dat hij hier slechts is om de school als organisme te bestuderen. Maar daar heb ik geen bewijzen voor. En ik moet toegeven, de kinderen én de ouders zijn enthousiast.'

Hij ging aan zijn bureau zitten. Een tijdje zei hij niets. Zijn boosheid, die even weggezakt scheen, leek weer op te komen. Hij wreef driftig met zijn hand over het tafelblad. Opeens barstte hij los: 'En toch is hij hier niet duldbaar. Als het aan mij had gelegen, was hij allang weg geweest.' Daarna werd zijn stem zachter. 'Ik zeg je dit alleen omdat ik denk dat jij gevoelig bent voor dat type houding. Heel enthousiast zijn, en toch afstand bewaren.'

Ernst wilde hem met klem tegenspreken. Bereidde hij niet met grote inzet zijn lessen voor? Deed hij niet zijn best een gewaardeerd lid van deze gemeenschap te worden? Maar hij was te perplex om iets te zeggen en besefte zo'n moment mee te maken waarop je duizelt en de sterke behoefte hebt om je aan iemand vast te klampen: maar er is niemand.

Zijn positie voor de klas was nog niet zo sterk. Hij meed Wille vanaf dat moment zoveel mogelijk. Zag hij hem in de verte aankomen, dan nam hij een andere gang. Sprak Wille hem aan, dan keek hij schichtig rond of Minkman hem zag. Het was van belang om zo min mogelijk in gezelschap van de schrijver te worden gezien. Dat werd bijna een tweede natuur: terugdeinzen tussen de anderen in een instinctieve beweging...

Maar Ernst wilde Eric Wille niet verliezen. In die periode kwam hij hem een keer in de pergola tegen en zei dat hij al een hele tijd niet meer in zijn lokaal was geweest, dat hij van plan was die middag langs te komen.

Wille antwoordde kortaf dat het hem slecht uitkwam. Zijn stem klonk heel afstandelijk. Ernst was hem al kwijt.

De kerstvakantie was voorbij. Het werd voorjaar. De school gonsde van de plannen en geruchten. In het docentenboek verschenen lijsten. Men kon intekenen voor verschillende jubileumactiviteiten. Voor de podiumkunsten zoals toneel en cabaret was Ernst niet geschikt. Hij durfde zijn stem niet publiekelijk te gebruiken. Die handicap speelde hem zelfs parten in de klas. Wille bleek, tot verbazing van Ernst, ingetekend te hebben voor het onderdeel dansshow. Ernst zelf bood ten slotte nog zijn diensten aan als assistent bij het vliegers maken.

Na schooltijd werd er geoefend. Ernst kwam een

keer toevallig in de gymzaal waar de dansshow werd gerepeteerd. Verborgen achter een paard zag hij de scène waaraan Wille deelnam. Het opmerkelijkste was dat Wille Minkman als directe tegenspeler had. Ze stelden twee docenten voor die geïnteresseerd met elkaar staan te praten. Zich niet bewust van enig gevaar. Leerlingen dansen in een kring om hen heen. De dans wordt steeds dreigender. Beide docenten onderkennen het gevaar te laat. In paniek vallen ze in elkaars armen en worden dan door de danseressen opgetild en weggedragen. (Thema van de dansshow: leerlingen nemen de macht van de leraren over.) Ernst vond het een onbenullige scène. Hij zag ook wel aan Wille dat deze het allemaal gênant vond, maar men zèi dat hij het goed deed en daar leek hij toch verguld mee.

De school raakte steeds meer in de ban van het feest. Een ongewone drukte, een versneld ritme, grote uitbundigheid verjoegen de rust en maakten het lesgeven bijna onmogelijk.

Een week of vijf voor de grote party – staf en feestcommissie deden erg geheimzinnig over de locatie – was Ernst net zijn jas aan het aantrekken. Op het moment dat hij de garderobe wilde verlaten, hoorde hij de stem van Minkman.

‘Wij hebben nu samen dat aardige optreden...’ Minkman sprak dus tegen Wille. Ernst bleef luisteren. ‘Al die docenten die dreigen in te dutten,’ ging de conrector verder. ‘Dit feest hebben we nodig, er is behoefte aan activiteit.’ Hij sprak nog een tijdje over een voortgang van de voorbereidingen.

Ernst had haast om naar huis te gaan, maar kon onmogelijk ongezien weg. Hij had direct uit de garderobe moeten komen. Nu zouden ze denken dat hij hen had afgeluisterd. Hij kon geen kant op. Minkman zei: ‘Je weet dat ik ook aan het cabaret meedoe... kijk, omdat we samen die kleine scène in de dansshow hebben... denk ik dat de drempel tussen ons toch wat lager is en je elkaar dingen kunt... in het cabaret moet ik iets over jou zeggen dat nou niet zo vleiend is... het komt er eigenlijk op neer dat je tussen de lessen door nogal erg vaak koffie haalt enzovoort... in ieder geval, de algemene teneur is dat je als leraar er een beetje met de pet naar gooit. Ik heb de tekst niet zelf geschreven.’

‘Als de hele toon van het cabaret satirisch is,’ antwoordde Wille, ‘en als ook andere collega’s ervan langs krijgen...’

‘Misschien is het toch goed dat je... je komt nogal eens ter sprake, op verjaardagen, op feestjes, het beeld dat van jou wordt gegeven, is altijd negatief. Dat weet je toch?' Die woorden leken in een grote stilte te vallen. Het was of de hele school meeluisterde. Na enige tijd zei Wille: 'Nee, dat wist ik niet.'

'Het leek me goed je dat te zeggen. Ik vind dat je moet weten hoe er over je wordt gedacht.'

Het bleef weer heel lang stil. Toen klonk Willes stem: 'En dit zeg je zomaar. Ik wist niet dat er uitsluitend negatief over mij werd gesproken. Dat verbaast me wel.' (Aan zijn stem kon Ernst horen dat zijn mondhoeken trilden.) 'Dat verbaast me zeer,' herhaalde hij, 'en dat valt me tegen. Wie heeft betere examenresultaten, wie helpt leerlingen die au pair willen gaan werken aan adressen, waarom wordt hier op school zoveel Frans gekozen... Dit beeld van mij heeft niets met de werkelijkheid te maken... Maar nu ik het allemaal zo hoor...' (zijn stem werd dreigend) 'wil ik dat alle opmerkingen in het cabaret over mij worden geschrapt.'

'Ik ben blij dit te horen,' reageerde Minkman onmiddellijk. 'Wat mij betreft gaan die opmerkingen eruit en wat je nu over jezelf vertelt zal ik ook zeker aan de rector meedelen. Dan ben ik toch blij dat ik erover begonnen ben.'

Ze verdwenen beiden in de docentenkamer en Ernst kon naar huis.

De volgende morgen heerste in de docentenkamer grote opwinding. Men verdrong zich rond het docentenboek. Wille had er een brief in geplakt die zo begon: 'U heeft misschien al gehoord dat ik een zin in de cabarettekst heb laten schrappen. Die zin geeft van mij een erg negatief beeld', enzovoort. In deze apologie haalde Wille de voorbeelden aan die Ernst al kende.

De meeste collega's beschouwden de brief als een zwaktebod. Juist omdat hij zich zo hartstochtelijk verdedigde...

Wille vertoonde zich niet. Toen Minkman de schrijver in de loop van de dag in de docentenkamer tegenkwam, hoorde Ernst hem zeggen: 'Heel moedig, heel moedig van je, die brief. En die paar zinnen over jou gaan eruit.'

Sindsdien zag Ernst Minkman en Wille vaker met elkaar praten. Hij ving flarden op.

'...dat je nu nog meer over de tong gaat. Degenen die tegen je zijn, hebben zich alleen maar verhard. Ik verdedig je. Ook mijn vrouw, die je boeken leest, zegt dat ze achter je staat.'

Wille reageerde nauwelijks op Minkmans woorden.

De party werd gegeven op slot Doornenburg, hartje Betuwe. Dat was de verrassing die het Bestuur en Curatorium de medewerkers van het Willem de Zwijger hadden bereid. Er waren zes touringcars besteld. Men verzamelde zich op die regenachtige dag in juni op het schoolplein. Ze waren er allemaal: de leden van Bestuur en Curatorium, staf, docenten, onderwijsondersteunend personeel, vrijwel allemaal met hun partner. Sommige dames droegen lange, zwarte handschoenen die tot de elleboog reikten, en stola's. Ze hadden veel tijd aan hun opmaak besteed. De vrouw van Minkman droeg, als vele andere dames, een blouse van wit piqué. Wille had Ernst nog niet gezien.

De bussen draaiden het schoolplein op. Ze glommen, hadden een extra poetsbeurt gekregen. Er waren ook fotografen van de lokale pers.

De feestgangers bekeken de bussen met belangstelling; ze zouden hen naar een groots feest brengen. Ernst hoopte met Wille in dezelfde bus te komen. Wie weet was er vanavond ook gelegenheid om zijn geschokte vertrouwen in Ernst enigszins te herstellen. De organisatie dwong Ernst in bus drie te stappen. Wille kwam het plein op toen de eerste volle bussen al vertrokken. In een lange stoet reden ze

E. uit. Mensen bleven staan en keken hen na. Sommige collega's zwaaiden naar de onbekenden. Op de achterbank zaten echte gangmakers, echte feestvierders. Ze hadden de arm om elkaars schouders gelegd en zongen 'We gaan nog niet naar huis'.

Op de rijksweg kregen de bussen flinke vaart. De afstand onderling werd groter. Toch bleef het idee van 'stoet' min of meer aanwezig. Automobilisten staken lachend een arm uit het raam.

Daarna werden de wegen nauwer. Ze reden over een smalle, bochtige dijk. Er werd nog steeds gezongen. De stemming zat er goed in. Eén collega was onuitputtelijk in het bedenken van nieuwe liedjes.

Ernst Greve keek uit het raam. De begroeiing werd steeds dichter. Ze leek hen in te sluiten. Druipende takken van fruitbomen pletten zich tegen de ramen van de bus en nu en dan werd er een tak of tros door de zijspiegels afgerukt.

Het rijden ging steeds moeilijker. Het zingen was opgehouden. Sommigen meenden de torens van het kasteel al te hebben gezien. Ernst droomde een beetje weg en al gauw vulde de lucht zich met korte bevelen; trompetters bliezen op trompetten met sierdoeken; soldaten presenteerden de wapenen; rode bevelhebberssjerpen; gevechtshandschoenen;

borstharnassen; triomfantelijke vlaggen, zwaarden van gevernist staal; rookwolken aan de horizon...

De bus reed over de lawaaiige planken van een ophaalbrug, stopte. Ze stonden op een groot plein, bedekt met grind. Als een dorpsplein was het omringd door bijgebouwen. Een had een witte verlichte façade. Er stonden twee mannen voor geposteerd die een brandende toorts vasthielden. De vochtige lucht stonk naar hars en rook. Dit gebouw heette De Schone Hovenierster. Erachter rees in het halfduister de donkere massa van het slot op.

Ernst liep naar een ander bijgebouw om te kijken of dit ook zo'n mooie naam droeg. Een van de mannen met een toorts riep hem terug; de andere gebouwen waren niet toegankelijk.

'U moet de rode pijlen volgen.'

Zo trof hem direct al de buitengewone ongastvrijheid van dit slot. De Schone Hovenierster was ingericht als koffiekamer. Hier hield de voorzitter van het schoolbestuur een toespraak. Van Wille ving Ernst soms een glimp op. De schrijver keek om zich heen. Ongetwijfeld zou hij in gedachten veel details noteren.

Het gezelschap dronk hier een aperitief. Via een

deur die achter gordijnen verborgen was gebleven, werden ze daarna het echte kasteel ingeloodst. Het was een bakstenen gebouw van enkele etages, met klokvormige torentjes. Er was een buitentrap van bewerkt hout. Via die trap kwamen ze in een hal met veel deuren. Op de meeste stond 'Privé' of 'Verboden toegang'. Ze gingen een vertrek in dat Het Arsenaal heette. Er hing een geur van nat gebladerte, die met hen mee naar binnen was getrokken. Opeengepakt stond men tussen de gedekte tafels.

Toch, misschien door de imposante muren, de vochtige geur, de glimmend gepolijste en ongelijk afgesleten tafelbladen en plavuizen, raakte Ernst in de ban van dit gebouw uit een verre tijd. De beslotenheid van die andere wereld leek nog versterkt te worden door het lichte ruisen dat uit het stilstaande water van de gracht opsteeg.

De uren die volgden gingen snel voorbij. Koksmaatjes sneden plakken van een geroosterd speenvarken. Bedienden zochten zich een weg door de smalle ruimtes die de tafels lieten, schonken ruim wijn; er was ook een accordeonist, die daar als verdwaald bij een van de ramen stond en haast mechanisch op de toetsen van zijn instrument drukte.

Na het koud-warm buffet kon er worden gecirculeerd door drie vertrekken. Naast Het Arsenaal waren er ook De Jachtkamer en De Ridderzaal. Wie zijn partner niet kwijt wilde raken in die volte, moest dat bekende spelletje van vroeger spelen: Ik hou jou vast – jij houdt mij vast.

Alsof het met het feestcomité afgesproken was... tegen twaalf uur hield de regen op en kwam de maan van achter de hoge bomen te voorschijn en wierp een bleek licht op de muren.

Het feest liep nu duidelijk naar zijn hoogtepunt. Er werden onverwachte zoenen gegeven, armen, handen vastgepakt. De stemmen hadden een zekere luidruchtigheid gekregen. Men was gevangen in een roes van intimiteit. Ernst voelde zich een beetje overbodig. Misschien was hij nog te kort op school om diepe verbondenheid te voelen.

Hij zocht Wille. Zou hij zich vermaken? Een paar maal had hij hem met een glas wijn belangstellend naar het schouwspel zien kijken. Hij verveelde zich kennelijk niet. Ernst moest denken aan wat Wille, al weer maanden geleden, in café Marktzicht had gezegd: 'Ik heb hier op school moeizaam een zeker, maar broos evenwicht bereikt. Evenwicht tussen mijn schoolwerk en mijn literaire arbeid. In die zin ben ik beeld voor deze hele gemeenschap waar datzelfde fragiele evenwicht heerst, dat nauwlettend in stand dient te worden gehouden. Evenwicht tussen staf en docenten, mannen en vrouwen, gedoctoreerden en doctorandussen, eerste- en tweedegraders, docenten die alleen willen doceren en zij die zich door veel buitenschoolse activiteiten maar al te graag aan de dagelijkse lessen onttrekken. En zo kan ik nog een tijdje doorgaan, want de tegenstellingen zijn legio. Ik heb nog niet eens de ernstigste genoemd, die tussen doctorandussen en niet-universitair afgestudeerden. Er hoeft maar dát te gebeuren' (hij liet zijn duim van zijn wijsvinger afspringen) 'of het evenwicht is verstoord en de vlam slaat in de pan. Daarom ben ik drie jaar geleden naar het noodlokaal verhuisd. Ik leid er een veilig bestaan. Voor mijn gevoel is er in die drie jaar op school weinig veranderd. Op plenaire vergaderingen heb ik mij vroeger vaak geweerd. Bij de rondvraag maak ik dan ook nagenoeg altijd dezelfde opmerking en als ik door de school loop, hou ik mijn ademhaling zo licht mogelijk.'

Uit een van de kleine naamloze zijvertrekken kwam een geluid dat Ernst niet thuis kon brengen. Het leek of men een mand appels over parket uitstortte. Op het podium van een kleine dansvloer toverde een man met castagnetten opwindende ritmen te voorschijn. Hij had een vriendelijk, vol gezicht, hield zijn ogen gesloten en wiegde met zijn hoofd. Hij droeg een geborduurd jasje. Op de dansvloer probeerden enkele paren het vreemde, snelle ritme te volgen. Zijn optreden trok de aandacht van een kleine groep. Op een laag stenen bankje tegen een van de zijwanden zag Ernst de rector en de vrouw van Minkman.

De maan wierp door het hoge raam een blauwe streep op de dansende paren. De streep golfde als een sjerp in de wind. Achter Ernst was de bar. Dansvloer en bar waren door een smalle, opstaande rand van elkaar gescheiden. Ernst bevond zich op de grens van bar en dansvloer toen hij vlak achter zich, gedempt, Minkmans stem hoorde. Behoedzaam draaide hij zich om en zag dat hij met Eric Wille sprak. Ze stonden dicht bij elkaar en het gesprek dat ze voerden isoleerde hen van de andere feestgangers. Zulke goeie maatjes? Ernst was jaloers.

Toen Minkman zijn kant op keek, dook hij weg achter de brede rug van een bestuurslid.

'Wie kletsen er dan?' hoorde hij Wille vragen.

'Iedereen tegenwoordig. En die brief van jou in het docentenboek, heel moedig, maar ik heb de indruk dat die ontkenning de geruchten alleen maar meer voedsel geeft. Ik heb zelfs de indruk dat jij er plezier in hebt al die geruchten nog wat aan te wakkeren...' De toon van de conrector was neutraal, bijna luchtig en daarom juist van een onmiddellijke provocatie. Willes gezicht was opeens heel bleek geworden. Waarom moest Minkman daar nu over beginnen? Wilde hij de schrijver sarren?

De woorden, de gebeurtenissen zijn elkaar vanaf dat moment snel opgevolgd.

'Je denkt toch zeker niet dat ik met jou in die stupide show wil staan?' De stem van de schrijver was heel kalm. Minkman riep daarop, tamelijk luid, dat hij hem dan als *mens* volstrekt waardeloos vond. Wille greep hem bij zijn schouder. De conrector riep, nog luider, dat hij hem ook als schrijver niets vond en dat hij op de hele school nog nooit iemand had aangetroffen die wat in zijn boeken zag... Willes gezicht kreeg een gespannen uitdrukking, alsof hij luisterde naar een verre echo. Zijn kin kwam omhoog, zijn wangen trokken samen. Toen zei hij op bijna pompeuze toon: 'Dit kun je niet zomaar zeggen. Nee, zoiets kun je je niet veroorloven.' Hij had die woorden nog niet uitgesproken of hij trok hem mee naar het lage muurtje waarop de rector zat.

Wille zei dat de rector onmiddellijk moest ingrijpen, dat er anders dingen zouden gebeuren... Hij sprak heel nadrukkelijk en heel snel alsof hij bang was te worden onderbroken voordat hij alles gezegd had.

De rector hield op vermakelijke wijze zijn handen langs zijn slapen en het leek werkelijk of hij zijn oren had gespitst. Maar toen hij begreep dat het menens was, en opstond, was het al te laat. Wille had die lastpost van een Minkman met een flinke zet van zich af geduwd. Hij had er niet eens zijn volle kracht achter gezet. Maar de conrector struikelde en viel, een zielige grimas op zijn gezicht.

De castagnettenspeler klepperde steeds trager, de klanken leken uit elkaar getrokken.

Wille volgde de val, gefascineerd. Maar iedereen daar op die plek begreep dat wat hier gebeurde buiten de gewone orde van de dingen viel en weinig van doen had met een ordinaire ruzie.

De conrector kwam met zijn zij tegen de bovenrand van een plantenkuip terecht. Snel liep Wille op hem toe, met gefronste wenkbrauwen. Je vermoedde dat hij hem onder een hagel van vuistslagen wilde verpletteren, dat hij hem wilde doodmaken. Zover is het niet gekomen. Drie, vier man, onder wie twee potige gymleraren, overmeesterden Wille en trokken hem achteruit De Jachtkamer in.

De man met de castagnetten was opgehouden met zijn spel. Minkman lag bewegingloos, met een asgrauw gezicht, op de grond. Er werd om een dokter geroepen. Die waren er genoeg onder de leden van het Bestuur en Curatorium.

Wille was er intussen in geslaagd zich los te rukken en dook opnieuw op Minkman af. (De gymleraren hebben later meerdere keren verklaard dat hij onnoemelijk sterk was, dat ze hem niet hadden kunnen houden!) Toen hij zag dat Minkman werd afgeschermd door een haag van zeker tien man, greep hij een vol glas van de bar en gooide dat in zijn richting. De wijn kwam terecht op de witte blouse van zijn vrouw. Toen smeet hij het lege glas op de plavuizen kapot.

Nu liet hij zich gewillig naar De Jachtkamer voeren. Aan de wanden van die sombere ruimte hingen hertengeweien en zwijnskoppen.

Een ambulance haalde de gewonde conrector op. Zijn vrouw huilde. Ernst is bij Eric Wille gaan zitten. Ze zaten naast elkaar, alleen in die grote ruimte, aan een zware tafel van geboend eikenhout. Uit de verte waren alle ogen op hen gericht. Het was doodstil. De stilte van opdwarrelend stof boven een net ingestorte muur.

Er kwam bericht dat de bussen voorstonden. Zij waren de laatsten die vertrokken. Al die lege zalen, de obers die snel opruimden, heel die kunstmatige charme van het kasteel die zich opeens vertoonde, triest operettedecor...

Voor Ernst in de bus stapte, keek hij om. Het kasteel zag eruit als in diepe slaap gedompeld.

De volgende dag hoorde hij dat Minkman in het ziekenhuis was opgenomen. Een rib was zijn long binnengedrongen. Hij verkeerde niet meer in levensgevaar. Maar de overige feestelijkheden werden uitgesteld.

Vandaag begint Ernst aan zijn tweede jaar op het Willem de Zwijger. Over enkele minuten zal het nieuwe schooljaar officieel door de rector worden geopend. Er zullen in zijn toespraak zeker toespelingen op het gebeurde worden gemaakt.

De staf neemt plaats achter de lange tafel. Conrector Minkman beklimt moeizaam de lage estrade en gaat naast de rector zitten.

Wille is er niet meer bij. Ernst zal hem na afloop in café Marktzicht verslag doen.

Ernst Greve heeft nog overwogen de rector te vragen of hij les zou mogen geven in het oude lokaal van Eric Wille. Zijn vriend vond dat erg onverstandig en heeft het hem afgeraden. Hij zei dat Ernst zich dan definitief op een weg begaf die de afstand tussen hem en de anderen alleen maar zou vergroten.

Museumplein

De rector van het Willem de Zwijger was een tamelijk lange man van even in de veertig. Sander Diemont, klein en gedrongen, zag tegen hem op. Als hij hem in de pergola tegenkwam, groette hij altijd beleefd: 'Dag meneer'.

De rector groette zelden of nooit terug. Hij liep altijd met zijn hoofd naar beneden, in gedachten verzonken. Dan bleef Sander staan, keek hem na en vroeg zich af waar de rector toch aan dacht.

Een week of wat na zijn benoeming tot tekenleraar schoot de rector hem echter onverwacht in de pergola aan en vroeg of het leven op school hem beviel. Nog voor hij, beduusd, antwoord kon geven, zei de rector al: 'Ik krijg goede berichten over je.'

Diemont had erg tegen het lesgeven opgezien en hoewel hij geen grote problemen in zijn klassen had, was hij toch erg blij met deze woorden en keek de rector dankbaar aan. Daarna wilde hij vrolijk doorlopen want zijn les stond op het punt te beginnen. Maar de rector legde een hand op zijn schouder en zei: 'Ik waardeer het ook dat je je als beginnend docent beschikbaar hebt gesteld voor de Fusiehaalbaarheidscommissie. Daar kunnen andere collega's een voorbeeld aan nemen.'

'Dank u, meneer.'

De rector liet hem naar zijn klas gaan met de woorden: 'Ga nu maar gauw, de leerlingen wachten met smart op je...'

Op weg naar zijn lokaal kwamen zijn gedachten als vanzelf op de moeilijke positie waarin de school zich bevond. Het Willem de Zwijger was een oecomenisch-christelijke school. Kort voor zijn benoeming was in E. een tweede christelijke school gekomen, van orthodoxe signatuur. Dat zou de komende jaren veel leerlingen gaan kosten. Om deze bijna zekere terugloop nog enigszins in te dammen was het Willem de Zwijger besprekingen begonnen met twee ideologisch verwante MAVO's.

Zo lagen de zaken. Sander Diemont gaf les en deed dat met het grootste plezier. Hij besteedde ook tijd aan de voornaamste richtingen in de kunstgeschiedenis en vertelde zijn leerlingen enthousiast over Odilon Redon, Willink, Hynckes. Hij genoot als hij leerlingen die niets van hun ouders hadden meegekregen, warm wist te maken voor een landschap van Mauve. Hij voelde zich steeds meer thuis op school, steeds meer op zijn gemak. Met zijn vakcollega handtekenen Willemsen, die hem snel wegwijs had gemaakt wat betreft de regels en voorschriften, kon hij goed overweg. Met Dorien Kraats, een jonge lerares Nederlands, die in een lokaal naast het zijne lesgaf, dronk hij tijdens een vrij uur soms een kop koffie in café Marktzicht. Haar stem was wel een beetje schel, haar lichaam iets te mager naar zijn smaak, maar ze had belangstelling voor hem, ze had al een paar jaar ervaring met de klas en sprak daar zinnig over. Hij had daar al zijn voordeel mee gedaan.

Was er dan niets om over in te zitten? Was alles werkelijk zo perfect? Hij hoefde zichzelf geen rad voor ogen te draaien. Er was onlangs een klein incidentje geweest met Minkman, de conrector voor het HAVO.

Vlak voor de herfstvakantie nog moest hij bij hem op de kamer komen. In de docentenkamer was hij juist Willemsen aan het vertellen dat hij met een groep geïnteresseerde leerlingen dit jaar naar het Musée Gustave Moreau in Parijs wilde, en of er daartoe mogelijkheden waren, toen Minkman hem via de intercom liet oproepen.

Hij ontving Sander op zijn kamer met een vaderlijk-beschermende blik, bood hem een stoel aan. Vervolgens begon hij zonder overgang Sanders inzet te prijzen, had in het bijzonder bewondering voor zijn snelle integratie in het schoolbestaan.

'Het lijkt of je hier al jaren rondloopt.'

Sander antwoordde dat hij zelf ook heel verbaasd was over zijn snelle gewenning omdat hij van nature erg verlegen was.

Toen keek Minkman hem van achter zijn tafel aan, draaide zijn handen zo dat duimen en vingers in de lucht steeds van plaats veranderden. Een glimlach verscheen op zijn gezicht en terwijl hij zijn mondhoeken iets optrok, prees hij hem opnieuw, nu omdat hij zich als beginnend docent nota bene had opgegeven voor de commissie Fusiehaalbaarheid. Een zware commissie, met veel avondvergaderingen, met veel voetangels en klemmen. Omdat Sander Diemont niet zo gauw wist wat hij op al deze lof moest zeggen, keek hij Minkman alleen maar aan.

En de conrector hem. Secondenlang. Toen volgde er een opmerking die Sander niet licht zou vergeten: 'Jammer dat je zo'n opruiende ruchtbaarheid geeft aan alles wat je doet. Waarom jezelf zo *showen?*'

Sander was ontdaan. Hij was perplex. Voorzichtig sputterde hij tegen: 'Ik ben enthousiast over een aantal dingen... en daar praat ik dan enthousiast met een paar collega's over, ik ga in mijn vrije tijd met mijn leerlingen naar musea omdat ik geloof dat ze zo wat meer inzicht krijgen in de wereld om hen heen. Ik ben in die Fusiehaalbaarheidscommissie gaan zitten omdat ik in die zin ook een bijdrage aan de school wil leveren, omdat ik mij verantwoordelijk voel... Mag ik mij soms niet verantwoordelijk voelen...?'

Hij werd steeds kwader, kwam overeind. Waarom zette Minkman vraagtekens bij zijn goede bedoelingen? Gelukkig onderbrak de conrector hem: 'Zo bedoel ik het niet. Woorden zeggen altijd meer, komen soms zo ongenuanceerd over.' Zijn pose van dominante stafdocent, zijn vlakke stem, zijn glimlach ergerden Sander, maar zijn driftaanval ebde weg, en nieuwsgierig vroeg hij: 'Hoe bedoelt u het dan?' Hij gebruikte zijn ijzigste toontje.

'Wil je werkelijk dat ik dat zeg?'

Ja, Sander stond erop.

'Nou vooruit dan. Je denkt dat er meer in je steekt dan je kunt laten zien in deze entourage. In ieder geval wens je voor jezelf een succesvoller leven, een ander leven dan dit. Dat isoleert je van de anderen en om dat isolement te verhullen, om datgene wat je van de anderen scheidt te verbergen, doe je extra dingen, heb je je mond vol van je activiteiten. Als ik jou was, zou ik proberen meer mezelf te zijn...'

Die boodschap kwam hard aan. Geheel van streek verliet hij de conrectorskamer.

Na zijn studie kunstgeschiedenis had hij geen werk kunnen vinden. Dat was hem al voorspeld toen hij die richting koos en het was hem tijdens de studie ook regelmatig en nadrukkelijk onder ogen gebracht. Voor Sander en zijn lotgenoten zou er geen werk zijn. Men raadde aan in ieder geval een pedagogische aantekening te halen, het kon wat uren bij het middelbaar onderwijs opleveren. Na twee jaar werkloosheid werd hij op een vacature bij het Willem de Zwijger geattendeerd. Hij solliciteerde en kreeg een baan van acht uur per week. Het was niet veel, maar de school had hem in het vooruitzicht gesteld dat het vak snel populair zou worden. Bij gebleken geschiktheid zou hij het komende jaar wellicht meer uren krijgen. Zijn werkelijke ambities lagen elders, maar hij greep de kans met beide handen aan. Hij was al gaan twijfelen aan de zin van zijn bestaan. Niets zou verstikkender zijn geweest dan nog een jaar zonder werk. Die verstikking ontvluchtte hij door deze benoeming. Over de aard van zijn werkelijke aspiraties – een museumfunctie – had hij nooit met iemand gerept. Minkman had hem dus in zekere zin door en nam het hem kwalijk dat hij niet voluit en onvoorwaardelijk, zoals zijn andere collega's blijkbaar deden, voor het onderwijs had gekozen. *So what.* Met die gedachte moest hij maar zien te leven en dat lukte heel aardig.

De weken gingen voorbij. Hij gaf les, bezocht met zijn leerlingen enkele malen het Arnhems Gemeentemuseum om hen kennis te laten maken met het werk van Dik Ket en Pyke Koch. Hij probeerde zich wat geruislozer door de school te bewegen, toomde zijn geestdrift tegenover collega's een beetje in.

Na Sinterklaas kwam hij de rector weer een keer tegen.

'Dag meneer,' groette Sander timide, al denkend dat deze hem toch niet zou horen.

Maar opnieuw sprak de rector hem aan en informeerde of het de jonge docent nog steeds beviel op het Willem de Zwijger.

Sander durfde geen antwoord te geven. Had hij hem, net als Minkman, door? Werd er een geniepig spelletje met hem gespeeld? Maar hij keek zo belangstellend, zo vriendelijk, dat Sander hem heel haastig, over zijn woorden struikelend, antwoordde dat hij het hier nog steeds naar zijn zin had, dat hij gisteren met een groepje HAVO-leerlingen naar het Arnhems Gemeentemuseum was geweest om hen in aanraking te brengen met de magisch-realisten. En, voegde hij er nog aan toe, hij had eveneens hun belangstelling willen wekken voor de sterk onderschatte landschapschilder Goedhart, die zijn hele leven in hotel De Engel in De Steeg had gewoond, waar Simon Carmiggelt en Wim Kan hem vaak opzochten... Sander was niet meer te stuiten, maar de rector onderbrak zijn woordenstroom: 'Nee, de school hoeft geen spijt te hebben van je benoeming.' En hij liep door, met gebogen hoofd, alsof hij de tegels bestudeerde.

Een beetje beschaamd bleef Sander achter. Minkman had dus toch gelijk. Hij was zich weer aan het vertonen geweest, of hij nou wilde of niet, en niet zo'n klein beetje ook: als men toch vooral maar goed doordrongen raakte van het feit dat hij hier zo vreselijk zijn best deed.

Vlak voor kerst bracht hij een weekend in Amsterdam door, zocht een paar studiegenoten op die nog steeds zonder werk zaten en bracht een bezoek aan het Rijksmuseum om enkele Weissenbruchs te bekijken in verband met een nieuwe serie lessen na de kerstvakantie.

Hij kuierde in een winterzonnetje over het Museumplein, bewonderde de geraffineerde tinten op de platanenstammen, overdacht hoe hij deze schilder het best aan zijn leerlingen kon presenteren, toen hij aan de overkant zijn rector zag lopen. De rijzige gestalte van de rector stak boven een groepje Japanse toeristen uit. Wonderbaarlijk. Zij beiden, werkzaam op het Willem de Zwijger te E., troffen elkaar op deze mooie zaterdagmiddag in Amsterdam. Wat was de wereld toch klein.

Sander begon de brede rijstrook die hen scheidde over te steken maar bleef midden op de weg staan. De rector liep hand in hand met een jonge vrouw. Die jonge vrouw, zag hij nu, was Dorien Kraats. Sander dook weg achter een bestelbusje dat passeerde, rende even mee, bleef pas onder de platanen op het gazon stilstaan. Onder geen beding wilde hij dat ze hem zagen. Wat hadden ze tegen elkaar moeten zeggen?

De ontmoeting had hem een beetje in de war gebracht. Hij was niet jaloers, want voor Dorien Kraats voelde hij niets. Hij was wel teleurgesteld in de schoolleider, die getrouwd was met een mooie, elegante vrouw. Wat bezat die spichtige Dorien met haar net iets te schelle stem dat zijn eigen vrouw miste?

Op school begon hij hen te observeren. Soms spraken die twee met elkaar. Dan ging hij zo ongemerkt mogelijk bij hen in de buurt staan. De onderwerpen van hun gesprekken waren echter altijd van algemene aard. Ze hadden natuurlijk afgesproken elkaar op school zakelijk te benaderen.

Soms zag Sander dat de rector haar in de docentenkamer, in de pergola, met zijn blik zocht, haar vond, tegen haar glimlachte en weer in zijn eigen kamer verdween. Niemand kende hun geheim, behalve Sander Diemont. En op een dag liet het hem ineens volkomen koud. Goed, de rector had een liefje en belazerde zijn vrouw. Misschien had hij daar een reden voor, misschien ook niet. Ook dat liet hem koud. Hij vergat niet wat hij gezien had, maar het speelde geen rol meer in zijn gedachten. Het was immers zijn zaak niet.

De paasvakantie naderde. Het Bestuur bood alle medewerkers van het Willem de Zwijger een feestavond aan. Er was een dixielandband van docenten. Sander stond naast zijn oudere collega Willemsen, met wie hij goed kon opschieten. Hij droeg altijd knickerbockers en groene sportkousen. Zijn blik was goedig. Zo stond hij ook bekend.

Nogmaals, Sander voelde zich zeer op zijn gemak en was ook op een prettige wijze rusteloos. Net of ergens een schat op hem lag te wachten, zo voor het oprapen. Aan die dingen dacht hij terwijl zijn collega Willemsen met een voet een schrapende beweging over de vloer maakte: hij probeerde het ritme van de band te volgen.

Ze keken naar collega's die dansten, wezen elkaar op collega's die voortdurend bij de tafel met hapjes stonden om hun bord vol te laden.

'Kijk,' zei Willemsen ineens en verschoot van kleur, 'onze rector heeft het weer voor elkaar.'

'Wat voor elkaar?' vroeg Sander, naïef.

'Ze praten weer met elkaar hoor.' De stem van zijn collega klonk misprijzend.

'Maar hij praat toch met iedereen op zo'n avond? Net stond hij met...'

'In het begin wel; uiteindelijk komt hij altijd bij haar terecht.'

'Heeft hij iets met haar?' vroeg Sander, heel onschuldig.

'Dat weet toch iedereen...'

Dorien droeg een mouwloze jurk, bedrukt met op de kop staande bonte vogels, op een blauw fond.

'Zal ik je eens wat vertellen?' Het zinnetje was Sander ontglipt, en nu zweeg hij verschrikt.

'Nou?' drong Willemsen aan. Sander probeerde, vergeefs, nog iets anders te bedenken, zei toen, omdat hij er toch niet meer onderuit kon: 'Ik heb ze samen in Amsterdam gezien. Op het Museumplein.'

Zijn collega, verbluft, vroeg om details. Sander, bang als 'storyteller' te worden beschouwd, gaf ze. Willemsen luisterde aandachtig, floot tussen zijn tanden. Zijn ogen, onder het glimmende voorhoofd, waren strak en toegeknepen, alsof ze het schouwspel *zagen*. Hij hield zijn lippen opeengeperst, terwijl zijn starende blik gericht was op de rector en Dorien.

'Dus toch,' mompelde hij na lange tijd. 'Dus toch...' Toen kwam Minkman hun kant op.

'Maar mondje dicht,' fluisterde Sander snel tegen

zijn collega. 'Denk erom. Jij mag het weten. Niemand anders, ja, beloof je dat?'

'Tuurlijk.'

Sander had een onaangenaam gevoel. Hij had een stommiteit begaan. Het was te hopen dat Willemsen zijn mond hield. Daar vertrouwde hij dan maar op. Zijn collega had hem nog nooit teleurgesteld.

De volgende dag zat hij in de docentenkamer een tijdschrift te lezen toen Minkman binnenkwam. Sander groette vaag. De conrector keek langs hem heen en begon achter zijn rug in de infotheek te scharrelen. Sander bladerde ongeconcentreerd in het tijdschrift voor onderwijskunde. Het was bestemd voor bestuurders van scholen op oecomenische grondslag en het type blad waar Sander nooit verslaafd aan zou raken. Toch wilde hij wel van nieuwe ontwikkelingen op de hoogte blijven, hield het blad ook zo dat Minkman zijn belangstelling voor theoretische onderwijszaken direct zou opmerken. Dat gaf hem een prettig gevoel, een bijna nog prettiger gevoel dan wanneer hij een blad uit werkelijke belangstelling bekeek.

'Loop je even mee?' vroeg Minkman onverwacht. Zijn stem klonk heel ernstig en zijn gezicht zag zo wit als een doek.

Samen liepen ze door de pergola, passeerden de conciërge-loge, gingen naast elkaar lopend maar zonder iets tegen elkaar te zeggen de brede trap op die naar de eerste verdieping leidde. De stilte tussen hen was verontrustend. Na de laatste tree begon de conrector gehaaster te lopen, en Sander, die dezelfde snelheid aanhield, liep achter hem aan.

De deur van de conrectorskamer stond open. Minkman liet Sander voorgaan en sloot de deur achter hem. Hij ging eerst voor hem staan, bleef zwijgen, deed een paar stappen van hem vandaan, draaide zich om, plaatste een voet op de brede armleuning van een lage fauteuil.

'Jij hebt onze rector dus op het Museumplein gezien.'

Het was noch een vraag, noch een constatering. Hij sprak met opgetrokken bovenlip. Sander Diemont gaf geen antwoord, was te verbijsterd om een antwoord te kunnen geven. Willemsen had dus gekletst. Willemsen had doorverteld wat hij hem in het volste vertrouwen had meegedeeld. Terwijl hij best aan Sander had kunnen zien dat hij, Sander, het eigenlijk tegen zijn zin had gedaan.

Minkman deed of zijn gebogen been jeukte en krabde in zijn knieholte. Hij vervolgde: 'Jij hebt hem dus met Dorien Kraats op het Museumplein gezien. Kun je zeggen hoe ze daar liepen?'

Dat was de eerste duidelijke vraag. Sander antwoordde: 'Het valt me tegen dat een collega aan wie ik iets in vertrouwen meedeel dit direct doorvertelt. Zoiets kan toch niet. Dat is toch onvergeeflijk...' Hij stikte van woede.

'Je hoeft Willemsen niets te verwijten,' zei Minkman rustig. Maar hij zat met deze kwestie in zijn maag, vond de zaak van een te groot belang. Best mogelijk dat hij er zich een jaar geleden niet druk om zou hebben gemaakt. 'Maar nu we in deze kritieke fase van de fusiebesprekingen zitten... en je weet: gaat de fusie niet door, dan zal het vak tekenen waarschijnlijk helemaal van het programma verdwijnen, bij gebrek aan leraarlessen... Sander, het is in die situatie geen kleinigheid wat er gebeurd is. De rector heeft de leiding van de besprekingen. Als hijzelf voorwerp van roddel wordt, zal dat zijn positie ernstig verzwakken. Iemand van de staf zal dit bij de rector moeten aankaarten. Waarschijnlijk zal dat op mij neerkomen. Daarom wil ik van jou details horen. Je naam zal er verder buiten blijven. Waar precies heb je ze gezien?'

'Ter hoogte van het Van Gogh-museum.'

'Hoe liepen ze?'

'Gewoon. Naast elkaar, geloof ik. Het was erg druk. Ik heb het niet zo goed gezien...' Sander antwoordde mechanisch, voelde de schaamte tot in zijn hoofdhuid.

'Ik vraag je nog één keer: hielden ze elkaars hand vast?'

'Ik zeg u toch dat ik dat niet kon zien, er waren veel voetgangers aan die kant, ze liepen in de schaduw van de bomen...'

'Tegen Willemsen heb je anders gezegd dat ze hand in hand liepen.'

'Dat heeft hij erbij verzonnen. En nu zeg ik niets meer. Ik ga weg uit deze kamer. Ik heb er spijt van dat ik één woord hier met u gesproken heb...'

Minkman was eerder bij de deur, legde een hand op zijn schouder. De bel voor het leswisselen klonk.

'We worden allemaal gestraft, beste Diemont. Hoe dan ook. Dat is een vaste regel in het leven. Je wordt gestraft omdat je goed bent, je wordt gestraft omdat je naïef bent, je wordt gestraft omdat je slecht bent. Kies maar uit. Iemand die nooit rookt, krijgt longkanker en kettingrokers worden negentig. Wat jouw situatie betreft, zie het zo: wat gebeurd is, is gebeurd. Daar valt weinig meer aan te veranderen. Maar ik beloof je dat jij nergens meer over hoeft in te zitten. Ik regel de zaak verder. Jouw naam blijft erbuiten. Val ook Willemsen niet lastig met verwijten. Ja, kan ik daarvan op aan?'

'Ik geef geen antwoord,' zei Sander koppig, om nog een laatste rest waardigheid te behouden.

'Ik beschouw dat als een bevestigend antwoord,' zei de conrector.

In de pauze liep Sander Willemsen tegen het lijf. Hij hoefde niets te vragen, want zijn collega zei onmiddellijk: 'Ik moest wel... Ik heb er uren alleen mee rondgelopen. Met een schoolleider die zo kwetsbaar is, kunnen we nooit tot een goede afronding van de onderhandelingen komen. Toen heb ik besloten Minkman in te lichten, als belangrijk staflid.' Willemsen raakte zijn arm vluchtig aan. 'Maar jij blijft daar verder buiten. Dat heb ik ook duidelijk tegen Minkman gezegd. Het is niet van belang dat jij ze gezien hebt, maar dát ze gezien zijn.'

Na de pauze had Sander een tussenuur. Hij dwaalde door de school, werd aangesproken door een decaan, een conciërge, de tuinman-stoker en de bibliothecaresse.

'Jij hebt ze dus gezien... Dat gehannes met...'

'Vond je het niet griezelig, dat je ze zag, die twee...'

'Jij hebt ze dus gezien, maar hoe ging dat in zijn werk. Vertel op!'

'Hij is wel vrij knap, sinds hij kalend is. Knap op een enge manier.'

'Zouden ze ook met elkaar...?'

'Erg voor zijn vrouw...'

'Hun huwelijk was verschraald...'

'Die Dorien. Altijd zo koel, zo afstandelijk...'

'Hij kan voor vrouwen onweerstaanbaar zijn...'

Het nieuwtje was als een kast boordevol voedsel. Een collega gymnastiek maakte een rondje met duim en wijsvinger en hield het rondje voor een vinger van zijn andere hand.

Te midden van deze stroom van roddels en geruchten kwam Sander het slachtoffer in de gang tegen. Hij liep daar onbekommerd, wat dromerig, zijn hoofd als altijd licht naar de grond gebogen, een document in zijn hand, onverstoorbaar superieur vanwege zijn grote 'geheim'. Wat Sander vooral opviel: niemand sprak hem aan. Maar wie wilde er ook in nauw contact komen met iemand wiens leven zo direct door de catastrofe werd bedreigd? Men liep langs hem heen, met schuldige, nerveuze haast, of hield zijn pas achter hem in.

Aan het einde van de ochtend, enkele minuten voordat de tweede pauze begon, kwam de conciërge Sanders lokaal binnen. Hij fluisterde hem in het oor dat hij de klas naar de kantine mocht laten gaan en zo gauw mogelijk verwacht werd in de kamer van conrector Minkman.

Sander gaf de klas huiswerk op, begaf zich toen naar de doodlopende zijgang op de eerste verdieping. De deur van Minkmans kamer stond open. Hij trof er vertegenwoordigers van alle geledingen aan. Er heerste een plechtige stilte. De stilte waarin de ene vis de andere opvreet. De rector was een prooi geworden, die steeds meer in het nauw werd gedreven. Ze konden hem alleen nog maar als prooi zien, en een prooi moet gevangen worden. Sander vond al zijn collega's slecht, deloyaal, boosaardig, maar hij was zelf degene die ongewild zijn val had ingezet.

Ze keken hem allen strak aan, en Minkman vroeg of hij nog eens precies wilde vertellen wat hij gezien had. Met tegenzin gaf Sander antwoord, zo summier mogelijk, steeds bozer op zichzelf dat hij zo stom was geweest vakcollega Willemsen te hebben ingelicht.

De voorzitter van het Bestuur – een hoogleraar van de Landbouwhogeschool in Wageningen – meende dat de zaak zeer ernstig was, maar vroeg van alle partijen de grootste omzichtigheid. Hij sprak van een welomlijnde situatie die beheersbaar kon en moest blijven. Niets hiervan mocht in de openbaarheid worden gebracht. De man droeg een bril met dikke glazen waarachter zijn ogen voortdurend op de verkeerde plaats zaten.

'Maar er móet iets gebeuren,' vond Minkman.

Daar was het iedereen het over eens. Vervolgens verzocht Minkman Sander het vertrek te verlaten. Hij vertrok en liep regelrecht naar de kamer van de rector, met de bedoeling om iets goed te maken.

Het rode lampje boven de deur brandde niet. Hij was dus niet in gesprek en Sander klopte aan.

'Ja, binnen.'

Sander opende de deur. De rector zat achter zijn ovaalvormige bureau dat vol vellen papier lag. Sander begreep dat hij al voorlopige prognoses aan het maken was voor het nieuwe cursusjaar.

De rector wees hem een stoel aan, dezelfde waarop hij had gezeten bij het sollicitatiegesprek. Naast het pennenbakje stond de portretfoto van zijn vrouw.

'Wil je iets drinken? Thee, koffie?'

'Thee graag.'

Hij draaide een nummer. Daarna ging hij bij Sander zitten, aan de lage tafel met de fauteuils. Hij zag er opgewekt uit. Had hij niet in de gaten welk onheil op de loer lag? Maar onheil kwam altijd als een dief in de nacht.

Zijn secretaresse klopte, kwam binnen met een blad en schonk voor hen in. Pas nadat zij de deur weer achter zich dicht had gedaan, vroeg de rector: 'Zeg eens, bevalt het je nog steeds op school?'

Toen vertelde Sander Diemont zo eerlijk mogelijk wat er allemaal was gebeurd, hield geen detail achter.

Over het gezicht van de schoolleider trok, terwijl hij zijn verhaal deed, een peinzende glimlach.

'Zo, nu weet u alles,' besloot Sander. 'U weet nu dat hier een verklikker voor u zit, u weet hoe er over u gekletst wordt.' Hij wiste van schaamte het zweet van zijn gezicht, maar was ook opgelucht dat het er allemaal uit was. 'Nu weet u dus wat voor docent de school in huis heeft gehaald.'

'Beste Diemont,' zei de rector toen, half geamuseerd, 'ik vind het prettig dat je open bent geweest, maar je vertelt me geen nieuws. Van verschillende kanten heeft men dit al laten uitlekken. Ik wist dus allang dat jij me had gezien en dat jij in het volste vertrouwen die geschiedenis aan Willemsen hebt verteld, zonder mij in een kwaad daglicht te willen stellen. Men is ook zo consciëntieus geweest mijn vrouw en Dorien op de hoogte te brengen.'

De rector van het Willem de Zwijger kneep zijn ogen een beetje dicht, pauzeerde en vervolgde toen: 'Weinig blijft hier onbekend. Ik heb de indruk dat jij daar een beetje van staat te kijken. In elke gemeenschap, maar zeker in een kleine wereld als een school, met al zijn geledingen, met hoog- en laagbetaalden, met schoonmakers en gepromoveerden enzovoort, heerst in het beste geval een hoogst labiel, een hoogst precair evenwicht. Het geringste incident kan dit verstoren. Maar omdat iedereen onbewust de natuurlijke orde wil handhaven, slaat alle nieuws in als een bom, wordt direct op alle niveaus alarm geslagen. Men denkt dat er koppen zullen rollen. De roddels worden steeds beestachtiger, steeds onwaarschijnlijker, en op een dag is alles voorbij. Ik voorspel je dat het ook dit keer zo gaat. Geef de mens een vijand in zijn mond en je hebt geen kind aan ze. Op zulke momenten van verwarring blijf ik rustig doorwerken, druk ik de fusie met de MAVO's erdoor. Met de MAVO-directies heb ik de afgelopen dagen zeer vruchtbare gesprekken gehad en vergaande afspraken gemaakt, die al niet meer terug te draaien zijn...'

'Maar u heeft daar toch gelopen met Dorien Kraats...! En uw vrouw dan...?' Hij had zijn tong wel willen afbijten.

'Ik heb daar gelopen. Met Dorien. En met mijn vrouw.'

'Uw vrouw?'

'Wil je het haar zelf vragen? Waarschijnlijk liep ze door de drukte net even achter ons. Je mag haar bellen... Maar wat jammer dat je niet naar ons toegekomen bent. We hadden samen iets kunnen gaan drinken... Ik denk dat mijn vrouw op dit moment wel thuis is.'

Hij stond op, liep naar zijn bureau, pakte zijn toestel om het Sander aan te reiken.

'Natuurlijk geloof ik u.'

'Wonderlijk blijft dat je wél Dorien Kraats gezien hebt en niet mijn vrouw. Dat kan door de drukte komen. Een mogelijkheid is ook dat je haar niet wilde zien.'

Sander protesteerde.

Toen ging de telefoon. Hij zei: 'Aan het rinkeltje te

horen komt het van buiten.' Het was het ministerie. Het zou een lang gesprek over lestabellen worden. Hij excuseerde zich en Sander verliet de kamer. Achter hem ging het rode licht aan.

De volgende dag was er een belangrijke plenaire vergadering over de samenvoeging van het Willem de Zwijger met de beide MAVO's. De rector zat de vergadering voor. Bij detailkwesties (de lengte van de lessen – vijfenveertig of vijftig minuten) souffleerde Minkman hem. Soms overlegden ze fluisterend. Dorien had zich absent gemeld.

Er waren veel voorstellen, amendementen, peilingen. De rector, blakend van zelfvertrouwen, vatte de uitweidingen bondig samen, heerste.

Er werd een korte theepauze ingelast en Sander kreeg gelegenheid hem aan te schieten. Hij zag wel dat de rector op dit moment weinig tijd had, dat anderen het met hem over bepaalde vergaderpunten wilden hebben. Snel vroeg hij dus hoe het nu verder ging. De rector reageerde enigszins verbaasd: 'O, die kwestie... nee, nee...' en hij maakte een beweging van *spons erover.*

De vergadering liep uit tot halfzes, terwijl de afspraak was dat middagvergaderingen altijd afgehamerd dienden te worden als het vijf uur was. Men haastte zich via de pergola snel naar de uitgang. De rector vroeg of Sander even met hem meeliep.

'Je ziet, de rust is weergekeerd. Zo gaat het hier altijd. Ik moet wel toegeven dat die geruchten over Dorien en mij wel erg hardnekkig waren, bleven opduiken het laatste halfjaar.'

Ze stonden in het midden van zijn kamer. Door het raam zagen ze de medewerkers van het Willem de Zwijger het schoolplein afrijden.

'Ik mag je graag,' zei de rector, 'dat heb ik je duidelijk genoeg laten merken. Daarom heb ik je ook in de loop van het schooljaar enige malen nadrukkelijk gevraagd hoe het ging. *Goed gaan* betekent niet alleen: goed lesgeven, orde hebben, voldoende s.o.'s en proefwerken geven, al dat soort vulgaire zaken, maar het betekent in deze gemeenschap: niet te voyant zijn. Je plaats weten. Niet de bascule laten doorslaan. Anders gezegd: jij hebt te weinig eerbied voor het evenwicht, jij bent in onze gemeenschap nog niet een echte *gevoelsgenoot,* om het maar even op zijn Couperiaans te zeggen. Het was toch wel heel typerend voor jou dat je een verhaal als dat van het

Museumplein zo achteloos aan de gemeenschap doorgaf!'

'Aan Willemsen doorgaf, alleen aan Willemsen en dan nog zonder dat ik het wilde!' riposteerde Sander.

De rector maakte een wegwuivend gebaar van: het is voorbij, en zei toen: 'We praten nergens meer over.'

Hij liep naar zijn bureau, schoof wat in zijn papieren, maakte een berekening. Sander dacht: Ze hebben dus over mij gesproken, over mijn zogenaamde afstandelijkheid, mijn *vertoon*.

De rector onderbrak zijn gedachte: 'Ik denk dat er volgend jaar voor jou voldoende uren zijn. Ik zou graag zien dat je bleef.' En eindigde: 'Mijn vrouw wacht met het eten.'

Sander bleef alleen in school achter. Als je je ogen dichtdeed, bestond de wereld enkel uit die zo oude stilte van een lege school. Hij hield zijn ogen lange tijd gesloten, tuurde, tuurde... Kijk, daar liep de rector met Dorien Kraats. Maar van zijn vrouw geen spoor.

Het onbereikbare Kanaän

In de docentenkamer klonk applaus. Leraar Bosman, op zijn vertrouwde plekje naast de plantenbak, boog verlegen het hoofd. Het applaus gold hem. Zijn zoon was met een prachtige lijst voor het atheneum geslaagd.

'Briljant,' zei de rector nog, 'van zulke leerlingen willen we wel een school vol.'

Van emotie werd Bosman warm in zijn hoofd. Alle ogen waren even op hem gericht. Een paar collega's die in zijn buurt zaten, staken een hand uit en feliciteerden hem. Jammer dat zijn vrouw dit niet meer meemaakte. Twee jaar geleden was ze, na een lang ziekbed, gestorven. Net in de tijd dat de MAVO waaraan hij Engels, biologie en geschiedenis gaf, met het Willem de Zwijger College fuseerde.

Weer applaus. Steeds wanneer de rector de naam van een geslaagde oplas wiens vader of moeder aan de school verbonden was, werd er geklapt.

Na afloop van de vergadering liepen conrectoren, mentoren, klassenleraren haastig weg om leerlingen die gezakt waren of een herexamen hadden, op te bellen. Zo werd de harde werkelijkheid iets minder pijnlijk en kon samen een nieuwe route voor de toekomst worden uitgestippeld. Een goede gewoonte die allang op het Willem de Zwijger bestond.

Bij zijn komst naar hier had Bosman nog een andere gewoonte leren kennen. Was de zoon of dochter van een collega of een andere medewerker op school geslaagd, dan werd daar 's avonds een bezoek gebracht.

Bosman had dit nu twee keer meegemaakt. Je spoedde je gehaast van het ene adres naar het andere, bleef wat langer waar veel mensen waren en waar het gezellig was, ging weer snel weg als je de collega nauwelijks kende. Je had altijd het excuus dat je nog naar die en die moest, dat je hier was begonnen – in een buitengemeente – en de laatste bezoekjes had bewaard voor dicht bij huis. Het was een nerveuze avond, want de rite verlangde dat je niemand oversloeg. Het mocht niet zo zijn dat een docent of een lid van het niet-onderwijzend personeel die niet zo populair was en minder aan de weg timmerde, weinig of geen bezoek zou krijgen. Je had wel collega's die zich een zekere anarchie veroorloofden en slechts de ouders bezochten met wie ze bevriend waren of van wie ze de zoon of dochter zelf in de klas hadden gehad. Toch was dat *not done.*

Bosman, hoewel hij als MAVO-docent geen geslaagde van HAVO of vwo kende, was ze allemaal af geweest, de afgelopen twee jaren. Zijn zoon zat immers op deze school. Als hij zich nu overal liet zien, zouden te zijner tijd ook veel bezoekers bij hem komen.

Ook de leraren waren nu allen verdwenen en Bosman was als enige overgebleven. Op een van de lange tafels lag het boek met het blauwe omslag: het docentenboek. Hierin verschenen dagelijks mededelingen van heel verschillende aard. Overlijdensberichten van oud-collega's uit lang vervlogen tijden. Krantenknipsels waarin sprake was van een oud-leerling die het tot hoogleraar had gebracht. Bedankjes van collega's die bij hun vijfentwintig jarig dienstverband bloemen hadden ontvangen van de school, et cetera.

Bosman sloeg het open en las de vaak barok gestelde invitaties voor vanavond. Welkom allen in Huize... Op ons door lampions verlichte terras kan worden gedanst bij livemuziek. Of, wat amicaler: U komt toch ook? Wijd open staan de deuren bij... Men trachtte zo veel mogelijk en zo lang mogelijk bezoekers te trekken. Het succes was een aardige graadmeter van iemands gezag en populariteit op school. Bosman schreef: 'Rolf is geslaagd. Wij verwachten u.'

Toen Bosman de school uit liep, werd hij verblind door het scherpe zonlicht dat de ramen weerkaatsten. Hij bleef staan, gezicht geheven, voelde een zuidelijk bol windje zijn gezicht strelen, ademde diep in, genoot. De hemel recht boven hem en boven het schoolgebouw met torentje waarin de bel hing, was blauw, maar meer naar het oosten toe, boven de Paasberg, waar hij woonde, wit en heiig. Een echt zomerse dag, met bijen die gonsden in de plantenborder, en vlinders. Een heerlijke dag! Waarom mocht Elsje dit niet beleven? Ze was altijd zo trots geweest op hun zoon, die haar ranke bouw had, haar gezicht. Rolf was door de Schepper gemaakt naar haar evenbeeld. Hij, Bosman, was eerder klein van gestalte en gedrongen. Daar kwam nog bij dat hij door een ongeluk het licht in zijn linkeroog was kwijtgeraakt. Dat was een halfjaar geleden gebeurd.

Nog steeds botste hij onverwacht tegen deurposten op. Nooit was de linkerhelft van zijn gezicht zonder blauwe plekken, bulten. Het accentueerde de lelijkheid van zijn gezicht. Toen hij nog heel klein was, zei zijn moeder over hem: hij is niet alleen het allerlelijkste, maar ook het allerliefste ventje van de hele wereld.

Maar Bosman genoot. Hij ging nu eerst naar huis. Een boodschappenlijstje had hij al klaarliggen. Voor vanavond zou hij ruim drank en lekkere hapjes inkopen. Als zijn vrouw nog had geleefd, zou ze bezig zijn geweest met slaatjes en een quiche lorraine. Niemand mocht vanavond te kort komen. Had hij alle inkopen gedaan, dan zou hij extra stoelen klaarzetten, vervolgens zijn lichte zomerkostuum aantrekken... De wereld leek hem perfect op dit moment. Bijna perfect.

Op enige afstand van hem stonden twee collega's met elkaar te praten. Zouden die ook verschijnen vanavond? Hij had wel geprobeerd uit de reacties op te maken of men zou komen, maar het was zijn eer te na geweest er regelrecht naar te vragen. Het was toch vanzelfsprekend dat men kwam.

Net buiten het schoolhek stonden ook twee collega's in geanimeerd gesprek. Wat zou het mooi zijn als iemand hem nu op de schouder klopte: 'Dag Bosman, nog gefeliciteerd met Rolf, hoor! Wat een weertje, hè? Zullen we samen een glas drinken op het terras van Marktzicht?'

Hij keek om.

'O ja, graag!'

Genoeglijk pratend over het afgelopen schooljaar liepen ze dan naar Marktzicht aan het Marktplein. Naar dit moment had hij al zo lang uitgekeken. Een collega die hem als vriend beschouwde. Een collega van het Willem de Zwijger nog wel. Had deze niet zelfs dr. voor zijn naam staan? Universitair geschoold en zelfs gepromoveerd. Een collega die slechts één vak gaf en niet zoals hij, de MAVO-docent die voor zes vakken bevoegd was, maar dan wel op het allerlaagste niveau. Nooit eerder besefte hij zo sterk dat 'veel' hier gelijk was aan 'minder'.

'Op jouw gezondheid en op de toekomst van je zoon. Maar dat zal wel loslopen...'

'Op de jouwe. Mmm, dat doet een mens goed, een koel biertje, na een heel schooljaar, met al dat stof...'

'Zeg dat wel. Stof op de vloer, stof van krijt...'

Ha, charmante collega, dacht Bosman, doctor en toch zonder pretenties. Wat voelde hij zich goed, zo samen. Ze keken naar de wandelaars die flaneerden in de schaduw van de platanen die al flinke kronen kregen. Moeders met kinder- en wandelwagens. Een vader fietste voorbij, met zijn zoontje voorop. Hoe kort was het nog maar geleden dat hij met Rolf zo fietste en hem de wereld uitlegde.

Ze dronken nog een biertje. De bel in het torentje, op het dak van de school, luidde voor het laatst vandaag. De lessen waren voorbij. Er moesten alleen nog rapportenvergaderingen plaatsvinden.

Nee, niemand klopte hem op de schouder. Dat was op zich niet zo tragisch, en niet zo verwonderlijk. De collega's die hij daarginds met elkaar zag praten, waren allang bevriend, had hij begrepen. Daar zou hij ook niet tussen willen komen.

Nu riepen de twee die het dichtstbij stonden hem.

'Hé Bosman, gefeliciteerd met je zoon, hoor! We komen vanavond.'

Ha, dat waren er alvast twee.

'Tot vanavond, zeg!'

Vrolijk ging hij op weg naar huis. De school lag aan de voet van de Paasberg. Bosman liep via een landelijk paadje de helling op. Aan weerszijden bevonden zich akkers. Halverwege keerde hij zich om. Beneden zich zag hij de school waaraan hij nu verbonden was. Het voormalige gebouw van de MAVO, rechts daarvan, was afgebroken. Daar lag een open terrein.

Bosman was negenenveertig jaar. Op die MAVO had hij ruim twintig jaar lesgegeven. Die MAVO-tijd beschouwde hij als een gelukkige periode in zijn leven. Met zijn opleiding tot volledig bevoegd onderwijzer en verschillende lagere akten was hij op veel fronten inzetbaar. Voor een MO-akte had hij jaren gestudeerd, maar hij was tot driemaal toe op het examen afgewezen. Goed, hij zou dus nooit les op een middelbare school geven. Hij had zich er vrij gemakkelijk bij neergelegd. Zijn orde in de klas was goed, de verhouding met zijn collega's was een tikkeltje afstandelijk. Al zijn vrije tijd spendeerde hij aan zijn gezin en zijn postzegelverzameling.

Hij bezat tien grote Lindner Albums met een bijna volledige collectie Nederland en Overzeese gebiedsdelen. Veel postfrisse zegels. Ook verzamelde hij op motief: bloemen, vogels, spoorwegen. Verzamelen was een prachtige bezigheid. Hij had een zintuig voor goede vondsten. Weten dat je collectie altijd voor verbetering vatbaar is, dat compleetheid in de filatelie een aanvechtbaar begrip is...

In de tijd dat zijn vrouw al ernstig ziek was, waren op zijn knusse school de eerste alarmerende berichten over een eventuele fusie binnengekomen. Een fusie met het grote, prestigieuze Willem de Zwijger! Er viel een term die hij nog nooit had gehoord. *Fusiehaalbaarheidsonderzoek.* Het woord was duidelijk. Nagegaan zou worden of zo'n fusie haalbaar was. Later bleek dat hij en zijn collega's dat verkeerd hadden geïnterpreteerd. Zo'n onderzoek hield in dat er al een basis was, dat er al de intentie was om samen te gaan, dat men moreel al met elkaar verbonden was en dat alleen praktische problemen nader werden geanalyseerd.

De fusie vond plaats. Zo werd hij toch, met een omweg waarvoor hij niet zelf gekozen had, leraar op een middelbare school. Op de school waar zijn zoon leerling was. Had dat hem onzeker gemaakt? Zag hij te veel op tegen docenten die universitair onderwijs hadden genoten? Speelde ook mee dat juist in die overgang naar de andere school Els was overleden? Op de eerste dag had hij het al gevoeld. Zijn toon voor de klas was verkeerd geweest. Afstandelijk en te gehaast. Geprikkeld. Hij had zichzelf horen spreken. Hij had strafwerk gegeven, had leerlingen de klas uit gestuurd. De verkeerde. Er waren conflicten gekomen. Hij die nooit conflicten had gekend. Niet wist wat ordeproblemen waren. Hij was in heel korte tijd, zonder dat in het begin volledig door te hebben, een leraar-zonder-orde geworden. Wat tot nu toe vanzelfsprekend was geweest – orde –, moest hij nu veroveren. Misschien was hij te weinig gehard op dat gebied. In ieder geval stelde hij zich slecht te weer. Hij reageerde eerst heel agressief, daarna gelaten. Werden er nu natte propjes tegen het plafond gegooid of vliegtuigen van papier tegen het bord, hij reageerde niet en zei tegen zichzelf: 'Dat gaat mij niet aan. Ik ben hier niet.'

In die tijd was hij bang geworden. Voor de klassen, voor zijn collega's, en voor Rolf. Zijn zoon moest de verhalen horen die over zijn vader de ronde deden. Rolf zou zijn vader als een *looser* gaan beschouwen. Maar zijn zoon had er nooit een toespeling op gemaakt. Hij bewonderde hem er des te meer om.

Bosman was in korte tijd jaren ouder geworden.

Bosman liep door. Hij beklom de helling altijd via dit bochtige karrenpad, dat wel een omweg betekende maar waar hij nooit iemand tegenkwam. Vroeger was hij gewoon de weg om de heuvel te nemen. Die lust was hem na zijn komst op het Willem de Zwijger snel vergaan. Daar liepen leerlingen die hem óf overdreven beleefd groetten en zodra ze gepasseerd waren achter zijn rug in luid gelach uitbarstten, óf hem negeerden. Dus hij koos, ook bij het boodschappen doen, straten waar hij zo min mogelijk kans liep leerlingen tegen het lijf te lopen. Sinds kort had hij zich tevens in het hoofd gehaald dat vreemden van zijn gezicht konden aflezen wat hij was: een leraar-die-geen-orde-had, dat wil zeggen een paria. Hij kon zich moeilijk iets voorstellen dat meer vernederend was. Nog steeds was het hem een raadsel hoe het zo had kunnen lopen. Het ergste was misschien wel dat zijn werk op school nu ook het plezier in zijn postzegels voor een groot deel bedorven had. Hij, die in zijn vrije tijd altijd boven zijn albums zat, postzegels afweekte, ruilbeurzen afliep, veilingen bezocht en die bij de aankoop van een lang gezocht exemplaar dat vreemde, unieke gevoel kende, een soort extase die je overviel en als een weldadige rilling langs je rug trok. Hij hield zich nog wel met zijn zegels bezig, maar nu meer met het doel de tijd te vergeten, de tijd die hem altijd weer gevaarlijk dicht bij dat onafwendbare moment bracht: de volgende dag.

Een oude vrouw kruiste hem op het landweggetje. Ze had een glimlach om de lippen. Hij zei direct bij zichzelf: 'Zie je wel. Die heeft het ook gezien.'

Nu stond hij op de top van de heuvel, draaide zich weer om en zag aan zijn voeten, in de vallei, school en stad. Hij herinnerde zich ineens een zin die zijn vader vroeger vaak had voorgelezen. '...en het volk murmureerde tegen Mozes. Toen werd de Heere toornig en zei: Je zult de Israëlieten laten ronddolen in de woestijn tot allen die bij de uittocht uit Egypte twintig jaar en ouder waren, dood zijn...' Bosman wist het inmiddels zeker: ook hij zou het beloofde land Kanaän nooit binnentrekken.

Soms dacht hij erover nog een ander beroep te kiezen, zich te laten omscholen. Hij was daar te oud voor, kwam voor geen enkel beroep meer in aanmerking, met zijn blinde linkeroog. Hij kon niet meer terug. Het was als in de natuur: had je eenmaal longen, kon je alleen maar naar kieuwen terugverlangen. Nee, wat hem nu aan ambitie in dit leven nog restte, was zijn zoon. Aan hem zou hij later zijn kostbare postzegelverzameling vermaken, die op meer dan een ton was geschat. En dus zou hij aan de perfectionering daarvan blijven werken.

Thuis overzag hij zijn boodschappenlijstje. Hij aarzelde wat betreft het aantal flessen witte wijn. Er zou met dit warme weer veel witte wijn gedronken worden.

Hij liep naar zijn auto en toen hij instapte, stelde hij vast dat hij heel vrolijk was, en als man die zichzelf altijd bekeek en analyseerde om de oorzaak van iets te begrijpen, besefte hij op dit moment absoluut zonder angst te zijn.

In de auto herhaalde hij enige keren zacht voor zich uit: 'Ja, geen wonder, je hoeft tot eind augustus geen les meer te geven. Je bent vrij.' Hardop riep hij: 'Ik ben vrij!' Hij zag zichzelf met zijn hand een triomfantelijk gebaar maken.

Hij reed naar een supermarkt in een naburige plaats en kwam na een uurtje met een volle auto thuis. Vanaf de straat hoorde hij in zijn achtertuintje Rolf en een paar vrienden. Boven de anderen uit hoorde hij zijn zoon. Wat klonk zijn stem zelfverzekerd! Wat was hij trots op hem!

De jongens hielpen hem de zware dozen met flessen uit de auto te dragen zonder dat hij erom hoefde te vragen. In de achterkamer spreidde hij over de eettafel een wit laken uit en zette er de glazen op.

'Pa, we gaan vast,' riep zijn zoon. 'Je vergeet de diploma-uitreiking toch niet!'

Op het podium van de aula stonden palmen. De rector hield een toespraak. Hij noemde het percentage geslaagden per afdeling, roemde het lerarenkorps en getuigde van zijn geloof in een goede toekomst voor alle kandidaten.

De eerste drie rijen waren gereserveerd voor de medewerkers van de school. Bosman zat op de eerste rij, tussen twee collega's van het oorspronkelijke Willem de Zwijger.

Het was een stijlvolle bijeenkomst. Bosman keek op naar de rector, die daar zo kalm stond te spreken. De rector was gepromoveerd op een onderwerp uit de Griekse filosofie. Hij, Bosman, kende zelfs geen Griekse letters, ja, de alfa en de omega dan, uit de Openbaringen van Johannes, het geliefdste bijbelboek van zijn vader.

Nog niet zo lang geleden had de rector hem bij zich geroepen. Ze hadden eerst over koetjes en kalfjes gepraat en toen had de rector de VUT- en DOP-regeling ter sprake gebracht, die gezien zijn leeftijd nog lang niet op hem van toepassing waren.

'Maar,' had de rector gezegd, 'als het u te zwaar wordt en dat zou ik me heel goed kunnen indenken; door het overlijden van uw vrouw was voor u de overgang naar een andere school dubbel zo zwaar! –

weet ik misschien toch wegen om een flinke taakverlichting of vervroegde afkeuring voor u los te peuteren.'

Bosman had overdreven heftig gereageerd. Daar schaamde hij zich nog voor.

'O nee, never. Never! Begrijpt u dat?' Hij had heel flink gedaan. De rector had slechts geglimlacht.

Maar hij wilde echt niet weg. Het was zijn eer te na om vervroegd uit te treden. Zijn vader had vroeger een klein winkeltje gehad en had zich niet kunnen veroorloven ook maar een dag ziek te zijn. Zou hij dan al voor zijn vijftigste de moed opgeven? Never! Hij zou zelfs niet zijn weggegaan als hij midden vijftig was geweest. Hij had weleens overwogen om door te gaan tot zijn vijfenzestigste, dus tot het bittere eind, zoals ooit in het onderwijs de gewoonte was. En te zwaar? Hoe kwam de rector daar eigenlijk bij? Gisteren nog had hij in H-3a een leuke les gegeven, een grote groep helemaal in zijn greep. Nee, hij had ze goed onder de duim. En uit zijn cijfers bleek hoe hard ze voor hem wilden werken. Bosman besefte overigens wel dat een goede leraar dit soort dingen juist nooit zei.

De rector had weer wijs geglimlacht en was er niet meer op teruggekomen.

Na de rector kwam een conrector op het toneel. Hij had grappige opmerkingen en voorvallen van het afgelopen jaar opgeschreven. Zijn komisch intermezzo had veel succes in de zaal.

De rector verscheen weer. De conrector ging op het podium achter een tafel zitten en een fotograaf posteerde zich op het trapje in de zaal. De uitreiking van de diploma's begon.

De rector noemde een naam. In een bepaalde hoek van de zaal klonk gejuich. De kandidaat kwam naar voren. De rector sprak enkele persoonlijke woorden en gaf de geslaagde een hand. Van dat moment werd een foto gemaakt. Daarna liep men langs de tafel van de conrector om het diploma te tekenen en in ontvangst te nemen.

De ene kandidaat oogstte langdurig, luid applaus, een andere, minder gezien, slechts lauwe, beleefde reacties. In die zin vond Bosman de diploma-uitreiking een nogal wreed schouwspel. Wel werd van iedereen een foto gemaakt.

Rolf kreeg veel applaus. De rector noemde hem opnieuw briljant, suggereerde zelfs dat zijn resultaten nog beter waren geworden sinds zijn vader hier op school was gekomen.

Bosman glorieerde. Rolf, daar hoog op het podium, lachte naar zijn vader op de eerste rij. Het flitslicht van de fotograaf. Hij kon zijn ogen niet van zijn zoon afhouden. Kende bijna een jaloers gevoel. Zou als Rolf willen zijn.

Er waren dat jaar in totaal tweehonderdveertig kandidaten want de school was door de fusie groot geworden.

Het was warm in de zaal. Het applaus klonk steeds lauwer. Om zich heen hoorde hij collega's mopperen. 'Deze zitting duurt te lang. Waarom krijgen de verschillende afdelingen niet gescheiden hun diploma?' Bosman mengde zich niet in het gemopper. Wat deed de mening van een leraar die geen orde heeft ertoe? Hij had geleerd zich heel klein te maken, zich koest te houden. Hij had weleens een aardige gedachte tijdens een vergadering, maar durfde die niet hardop te uiten. Even later werd die gedachte door een ander naar voren gebracht en enthousiast begroet. Jammer dat hij over deze dingen met niemand kon spreken. In zijn goeie tijd had hij verzuimd zich een vriend te maken.

Eén keer had hij bij de rondvraag zijn vinger opgestoken, te midden van opmerkingen over 'kwaliteitsschool', 'doorstroomperspectief' en 'tijdpad' de beplanting van de borders rond de school aangestipt. De rector had even bevreemd naar hem gekeken en toen een kleine aantekening gemaakt. 'We zullen het aan de tuinman doorgeven, meneer Bosman.'

Bosman ging rechtop zitten en probeerde al die opkomende gedachten te verjagen. Een paar minuten kon hij zijn aandacht bij het podium houden. Maar als vanzelf begon hij weer aan zijn lessen te denken. In de pauzes trilden zijn handen zo dat hij in aanwezigheid van collega's geen koffie durfde te drinken. De eerste bel ging, ten teken dat men geacht werd op weg te gaan naar zijn klas. Hij hoorde zijn collega's lachend tegen elkaar zeggen: 'We mogen weer.' En: 'Op een draf naar het graf.' Een waas trok dan voor zijn ogen. Eenmaal voor de klas zag hij zichzelf de vreemdste gebaren maken om de leerlingen rustig te krijgen en stelde hij vast dat hij bij elke nieuwe onrust met de toppen van twee vingers op de tafel tikte als om een ongehoorzame hond tot de orde te roepen, terwijl hij tegelijkertijd een harde, nadrukkelijke blik op de klas wierp. Andere dagen was een klas ongewoon stil. Dan vermoedde hij een complot, werd nog nerveuzer en verwekte daarmee rumoer.

De laatste kandidaat had zijn diploma in ontvangst genomen.

Weer thuis schonk hij jus d'orange en grapefruitsap in karaffen. Ze stonden chic op het witlinnen tafellaken met de glanzend opgewreven glazen. Hij zette wijn en bier klaar.

Rolf was na de uitreiking met vrienden naar Marktzicht gegaan. Het was nog geen zes uur. De eerste gasten verwachtte hij niet voor halfnegen.

Bosman ging naar zijn werkkamer boven. Zijn tafel was overdekt met zegels, gesorteerd in transparante zakjes, ruilmapjes, dozen en albums. Uit het ruilboekje van de postzegelclub Globe bekeek hij een gebruikte, maar goed gecentreerde, perfect getande zegel. Bij nader onderzoek met zijn zakloepje zag hij toch een miniem roestvlekje. Met het pincet plaatste hij voorzichtig de zegel terug.

Hij bladerde in een album. Hij hield nog steeds van zijn zegels. Hij herinnerde zich hoe ze hem als klein jongetje hadden geleerd dat Suomi Finland was, Helvetia Zwitserland en Magyar Hongarije.

Onrustig liep hij heen en weer in zijn kamer en besloot zijn ruilboekje naar een ander lid van Globe te brengen.

Toen hij thuiskwam, stonden er al enkele auto's voor zijn huis. Zijn zoon, die intussen was thuisgekomen, had de gasten ontvangen.

Ook de rector en zijn vrouw kwamen in de loop van de avond. Ze deden heel ontspannen, net alsof ze thuis waren en hij dik bevriend met ze was. De conrectoren, de decanen, de mentoren. Leden van het niet-onderwijzend personeel. Sommigen namen een boeket bloemen mee of een klein presentje, hoewel dat geen usance was. In zijn hart schaamde Bosman zich een beetje. Hoe had hij durven denken dat men hem zou overslaan, dat men zich niet voor hem interesseerde!

Het liep de hele avond door. Er waren weleens ogenblikken dat hij helemaal alleen was, Rolf maakte met vrienden ook een rondgang langs allerlei adressen. Dan vroeg hij zich af of de laatste bezoeker nu al was geweest, liep snel naar zijn werkkamer om de straat af te kijken.

Daar kwam een nieuw golfje bezoekers. Zijn huis was niet zo groot. Dus het leek al gauw vol en gezellig. Maar het wás de hele avond vol en gezellig geweest! Het ging allemaal precies zoals hij het zich had gewenst.

Kort na middernacht nam de laatste bezoeker afscheid. Er zou nu niemand meer komen. Het feest was voorbij. In gedachten ging hij de lijst van docenten langs in het jaarboekje. Bijna allemaal hadden ze hun opwachting gemaakt. De paar die niet waren geweest, onttrokken zich altijd aan de rite. Hun afwezigheid was niet van belang, was niet specifiek tegen hem gericht.

Hij stond in het midden van de achterkamer, bij de tafel vol lege en halflege glazen, als over zichzelf gebogen, één been naar voren en een arm iets geheven. Iemand die hem van buiten zag, zou zeggen: Als in een natuurlijk gebaar van zelfverdediging. Maar hij strekte zijn hand uit naar de tafel.

Bosman had alleen verwacht dat de avond wat langer zou duren, dat men hier wat langer zou zijn blijven hangen, dat zich in zijn huis tot diep in de nacht een geanimeerd samenzijn zou hebben ontwikkeld, dat zijn huis het eindpunt was geworden waar de hele school zich verzamelde voor het slotfeest.

In zijn eentje begon hij de boel op te ruimen, al had hij Rolf moeten beloven alles tot de volgende ochtend te laten staan. Dan konden ze het samen doen.

Een kamer vol bloemen. Hij rangschikte de bloemen in vazen, en legde de ontvangen cadeautjes bij elkaar op tafel. Ten slotte was alles aan kant. Hij zou toch niet in slaap kunnen komen. Tegen tweeën verliet Bosman zijn huis voor een kleine wandeling. Het was een warme nacht.

Hij liep naar de andere kant van de heuvel. Tegen de helling stond een groot vrijstaand huis, met glazen windschermen rond een terras. Daar woonde een collega wiens dochter geslaagd was. Er klonk muziek.

Dichterbij gekomen zag Bosman dat het daarbinnen zwart van de mensen zag. Dus hier had zich de hele school verzameld! Op het door lampions verlichte terras werd gedanst. Hij zag veel jongelui. Rolf zou hier wel bij zijn. Hij overwoog ook naar binnen te gaan. Hij had een haast onbedwingbare behoefte om deel te hebben aan dat feest.

De hevige teleurstelling herinnerde hem aan een feit, heel lang geleden. In de tijd dat hij voor onderwijzer studeerde, had hij een goeie vriend gehad. Die vriend was getuige geweest bij zijn huwelijk. Door verhuizingen ging het contact wat verloren. Toevallig hoorde hij dat zijn vriend ging trouwen. Hij had geen uitnodiging gekregen, was niet als getuige gevraagd. Een dag voor het huwelijk had hij hem gebeld. Die vriend zei dat hij er niets aan deed. Maar hij schonk na de plechtigheid in het gemeentehuis wel een borrel voor de naaste familie. Hij mocht natuurlijk ook komen. Bosman was niet naar het gemeentehuis gegaan. Hij was wel naar de woonplaats van zijn oude vriend gereisd, en had het partijtje vanuit het donker gadegeslagen. Er waren nog heel wat mensen geweest. Wat had hij daar graag als volwaardige feestganger rondgelopen! Maar hij had niet aangebeld, nooit om uitleg gevraagd.

Nu zou hij ook sterk zijn, al was de verleiding groot. Hij klemde zijn lippen op elkaar en voelde zijn kaakspieren. De gleuven die vanaf zijn neus naar zijn mond liepen, waren dieper dan anders. Terwijl hij uit het licht van een straatlantaarn de achterzijde van de tuin naderde en een barbecuegeur in zijn neus kwam, ging hij zijn eigen avond anders zien: men had een kort bezoekje aan hem slechts als opstapje gebruikt.

Hij wrong zich door de struiken, naderde het gazon, ving flarden van gesprekken op. In de nachtwind bewogen de lampions, bewogen de tuinfakkels, tatoeëerden de gezichten.

Bosman kwam nog dichterbij. Zijn blik dwaalde over het tafereel. Om nog beter te kunnen zien ging hij op zijn tenen staan. Hij herkende collega's, zocht zijn zoon.

Door de opstekende wind viel het licht van een fakkel op de plaats waar hij stond. Bosman dook weg.

'Pa, alsjeblieft, ga weg hier!' Wat klonk de stem van Rolf hard. Het gezicht van de jongen was bleek, vertrokken. Bosman was zo overweldigd door een gevoel van schaamte dat hij niets vond om te antwoorden. 'Ga alsjeblieft weg, pa! De anderen kunnen je zien.' Bosman liet zijn hoofd zakken. Zou hij hem ooit kunnen uitleggen waarom hij hier stond? Hij keek op om het gezicht van zijn zoon te zoeken. Rolf was verdwenen.

Mijn albums krijgt hij later niet, dacht Bosman in een opwelling. Ik verkoop al mijn zegels.

Hij liep snel terug naar huis.

Ik ben kalm, dacht hij toen. Ik ben heel kalm.

Zo rustig mogelijk herhaalde hij die woorden nog verscheidene keren – ze beletten dat hij ging huilen. Hij liep tegen een boom op, stootte zich pijnlijk tegen de deurpost van zijn huis, ging naar binnen en bleef op de mat vlak achter de deur staan. Gek zoals zijn huis veranderd was, als in een bijzondere belichting. Het waren niet meer dezelfde vertrekken.

Bosman moest tegen te veel dingen tegelijk vechten. Had een leerling die hij iets had opgedragen, hem niet toegebeten: Och stik, man. Hij kon niet aan zoiets denken zonder hevig te gaan beven. Zijn hele lichaam rilde. Zojuist was hij door zijn zoon verloochend. Die twee dingen hadden met elkaar te maken. De wereld spande tegen hem samen.

Hij stond nog steeds vlak achter de deur. Ineens werd hij woedend. Het was toch onrechtvaardig wat er was gebeurd. Hij was het slachtoffer van een immanente onrechtvaardigheid. Wie had hij in zijn leven kwaad gedaan? Hij was nooit tegen iemand boosaardig geweest. Waarom had hij zo jong zijn vrouw moeten verliezen, waarom was hij slachtoffer van de fusie geworden?

In moeilijke momenten had hij zich de laatste jaren weleens voorgesteld dat hij zich onbereikbaar maakte – altijd in perioden dat zijn zoon afwezig was vanwege een uitwisselingsprogramma, vakantie... Telefoon en voordeurbel uitschakelen. Veiligheidsketting op de deur. Gordijnen dichttrekken. Naar bed gaan. Nee, hij was er niet meer. Voor niets, voor niemand. De wereld ging hem niet meer aan, ging hem echt niet meer aan. Op bed gaan liggen, rug zo plat en zo recht mogelijk. Armen gekruist onder zijn hoofd en zo blijven liggen, strak, roerloos. Dan zou men bellen. Eens zou men bellen. Met zo'n geweld dat het geluid tot in zijn merg doordrong. Hij concentreerde zich op dat verlangen, wilde tegen elke prijs iemand dwingen om naar die voordeur te komen.

Die gedachten wonden hem eerst op, kalmeerden hem vervolgens. Hij verliet zijn plaats bij de keukendeur.

Bosman bladerde in zijn albums, zocht iets op in een veilingcatalogus en wist niet meer wat hij bezig was op te zoeken. Hij wierp een blik op de klok. Vier uur. Hij stond op, ging weer zitten om opnieuw op te staan, trommelde met zijn vingers op het blad van zijn bureau.

Het was gaan regenen en Bosman ging naar beneden om een raam te sluiten.

Hij zag de bloemen in de kamer. De aardige attenties voor Rolf, voor hem. Rolfs reactie was heel begrijpelijk. Een zoon die zijn vader in de struiken aantreft, een stiekem, jaloers, boos jongetje dat toch bij het grote feest wil zijn.

Bosman begon licht te zien. Het was allemaal niet zo erg als hij het zich voorstelde. Zo'n avond moest toch ergens eindigen! Nou, toevallig niet bij hem. Per jaar waren er toch ook heel wat lessen die rustig verliepen. Hij deed ook altijd direct zo dramatisch! Zijn huis begon weer een ander gezicht te krijgen. Wat was het aangenaam om thuis te zijn en wat viel de regen lekker dicht. Dit huis was een plaats van veilige orde in een chaotische wereld.

Hij haalde een hand door zijn dunnende haar. Wat zou hij tegen Rolf zeggen als hij thuiskwam? Wat zouden hun eerste woorden zijn? Natuurlijk was de collectie postzegels voor hem bestemd.

Bosman ging in bed liggen. Op straat waren geruchten. Een auto verdween luid claxonnerend. De vader hoorde zijn zoon het huis binnengaan, de trap op komen. Ook bij heel late feestjes kwam hij altijd op de ouderlijke slaapkamer om zijn vader goedenacht te wensen.

Bosman luisterde zo intens mogelijk, probeerde aan de voetstappen te horen of ze zijn kant opkwamen.

De deur van de slaapkamer ging voorzichtig open.

'Pa, slaap je?'

Die woorden waren genoeg. Meer wilde hij niet horen. Hij deed of hij sliep, kon hem nu zijn gezicht niet laten zien.

Met een half oog

1

'Kijkt u maar omhoog,' zei de vrouwelijke arts en liet van enige afstand een druppel in zijn rechteroog vallen. Ze bette het oog met een watje. 'Zo, nu moeten we even geduld hebben.' Ze redderde in een kastje, ging aan een bureau zitten en maakte aantekeningen. Ze keek op, dacht na. Op dat moment vroeg hij waar ze voor oogarts had gestudeerd.

'Nee, nee,' antwoordde ze, 'ik ben in opleiding. Ik loop stage.'

'Kunt u al iets over mijn oog zeggen?'

Vanmorgen was hij in alle haast met een taxi naar het Academisch Ziekenhuis gebracht. Zij was al enige uren met het onderzoek bezig.

'Nee, ik mag niets zeggen, als ik klaar ben komt de hoogleraar.' Ze draaide haar stoel weer naar hem toe, scheen met een fel licht in zijn oog, tuurde. Deze niet onaantrekkelijke vrouw, die over enkele jaren oogarts zou zijn, was heel dichtbij. Haar knie raakte die van hem. Ze schoof haar stoel iets achteruit. Had ze zijn gedachte geraden? Hun knieën raakten elkaar niet meer. Met haar een afspraak maken? Dat idee moest hij uit zijn hoofd zetten. Hij was patiënt. Een ernstige patiënt.

Ze maakte weer aantekeningen, las alles door wat ze voor hem opgeschreven had, corrigeerde. Zij moest natuurlijk een goed verslag afleveren, werd direct door haar hoogleraar beoordeeld.

Ze vroeg hem te wachten en verliet de spreekkamer. Even later kwam ze terug met de hoogleraar, een erg lange man, die hem snel een hand gaf en staande het verslag doornam. Hij legde het neer, kwam naar hem toe en keek zonder lampje in zijn zieke oog. Heel even maar. Toen richtte hij zich tot de arts in opleiding: 'Ik denk dat u het bij het rechte eind hebt... de paradoxale reflex hebt u goed waargenomen... visus bijna nihil...'

Hij keek weer snel in zijn oog, lichtte het ooglid op, maakte haar attent op een bijzonderheid. Vervolgens richtte hij zich tot de patiënt: 'We nemen voorlopig aan dat u glaucoom hebt. Maar het is zeker geen klassiek geval. Glaucoom is doorgaans een bilaterale aandoening die beide ogen aantast. Zeker is wel dat we te maken hebben met een acute, hevige vorm, die grote beschadiging heeft toegebracht. Dat is het vervelende van deze aandoening. Men wordt de ziekte pas gewaar op het moment dat een groot deel van de oogzenuw al is beschadigd. Onomkeerbaar. Genezing, daar kan geen sprake van zijn. Er is een gerede kans dat uw andere oog ook… maar we houden u onder controle en zijn er dan vlug bij… We gaan eerst proberen de druk van het oog omlaag te halen... U krijgt druppeltjes. Mevrouw zal het verder met u afhandelen.'

'Maar hoe kom ik aan zoiets, professor?' vroeg Onno Rijnstra. De hoogleraar was al bij de deur, had ook geen hand meer gegeven, draaide zich om: 'De oorzaak? Dat is gissen. Erfelijke dispositie. Komt glaucoom in de familie voor?'

'Mijn moeder is jong gestorven, maar vader heeft nooit een bril gedragen. Niemand in mijn familie droeg een bril. Mijn opa was boer en had veel land. Hij stond vaak in de verte te turen en onderscheidde alles. Hij is negentig geworden en heeft nooit een bril gedragen.'

De professor maakte een ongeduldig gebaar.

'Tja... Ik moet nu echt verder.'

2

De taxi bracht hem van het Academisch Ziekenhuis terug naar zijn woonplaats. Het oog traande en was pijnlijk van alle onderzoeken. Het leek of hij een flinke klap op zijn oogbol had gehad. Hij dekte met de hand zijn goede oog af en zag niets, onderscheidde zelfs niet de taxichauffeur vlak voor hem.

De taxi reed E. binnen en zette hem voor zijn huis af. Hij wilde het tuinhek openduwen, maar tastte mis; hij had de afstand verkeerd ingeschat. Voor hij de sleutel in het slot had gestoken, tastte hij twee keer mis.

Onwennig stond hij in zijn kamer, streelde de hond die naar hem opsprong. Hij was stapel op zijn hond, maar het was beter geweest als er ook een vrouw op hem gewacht had. Zijn verhoudingen met doorgaans veel jongere vrouwen waren altijd op niets uitgelopen. Hij kon ze niet vasthouden, verloor na enige tijd zijn greep op hen.

Door de achterdeur liep Rijnstra naar buiten. De tuin bloeide uitbundig. Om iets te doen te hebben pakte hij een snoeimes en liep naar een witte stamroos, om er een paar dode bloemen uit te knippen. Hij zat ernaast, moest de steel met zijn hand vasthouden en die naar het snoeimes toebrengen. Hij probeerde het nog een keer zoals hij gewend was en knipte er een hele tak met knoppen uit.

Vanmorgen vroeg was hij als elke dag met de hond gaan rennen. Het pad liep langs de spoordijk en was ervan gescheiden door houten paaltjes. Tot drie keer toe was hij tegen een paal aan gelopen. Zijn rechteroog had een beetje pijn gedaan, een licht schrijnend gevoel. Hij had zijn andere oog afgedekt en geconstateerd dat hij niets meer zag. In paniek was hij naar de huisarts gegaan. Die had hem naar de oogarts gestuurd. De ernstige blik van de oogarts voorspelde weinig goeds. Hij dacht aan loslating van het netvlies en had een taxi voor hem gebeld. Het was dus geen ablatie van het netvlies geweest, maar glaucoom. Rijnstra had de school gebeld dat hij naar het Radboudziekenhuis moest. De conciërge wenste hem sterkte en zou het bericht aan de rector doorgeven. Dat hem zoiets moest overkomen! Hij die nooit ziek was, zelden verzuimde. Een leraar met één oog.

Hij zette koffie. Hij zou zo dadelijk de school inlichten. Met het tranende oog kon hij geen les geven, maar morgen zou hij zeker weer voor de klas staan.

De telefoon ging. Het was de rector. Onno deelde

hem de uitslag van het onderzoek mee. 'Maar morgen ben ik weer op school... Ik begin juist de namen van de leerlingen te kennen.' Het was half september. Drie weken na de zomervakantie.

De rector zweeg even, en zei toen: 'Ik zou graag willen dat je vanmiddag nog naar de bedrijfsarts ging. Die zit in het gebouw van de GGD aan de Stationsweg. Vanmiddag heeft hij zitting. Ik zal hem voor alle zekerheid aankondigen dat je graag vandaag nog met hem wilt spreken. Intussen probeer ik vervanging voor je te regelen.'

'Ik ben echt morgen weer op school, hoor. Ik ben niet ziek!'

'Jou is iets ernstigs overkomen...'

Rijnstra was verbaasd. Lessen die niet doorgingen, iets ergers bestond er voor deze rector niet. Een schaatsdag kon er in de winter slechts met de grootste moeite af. Hij keek al bedenkelijk als je een uur eerder weg wilde om de begrafenis van een goede vriend bij te wonen.

'Je wilt mij liever kwijt,' grapte Onno.

'Dat weet je wel beter,' antwoordde de rector. 'Doe je wel wat ik je gevraagd heb? Sterkte.'

Abrupt brak hij het gesprek af.

Rijnstra staarde door het zijraam van de woonkamer naar buiten. Boven de stamrozen in zijn tuin stak de nok van een broeikas uit. Zijn vader was kweker geweest. De zoon was na zijn sanering en dood in het ouderlijk huis blijven wonen.

Uit piëteit had hij het bedrijf niet willen verkopen. In de sponningen van de kas zaten geen ramen meer, maar op de tabletten waren de prachtigste bloemen opgeschoten. Ze gaven een woest en kleurrijk beeld van wat zijn vader vanaf voor de oorlog daar al die jaren gekweekt had.

Hij belde het gebouw van de GGD en maakte met de secretaresse van de bedrijfsarts een afspraak. Zij was al op de hoogte.

3

Onno Rijnstra rende met drie sprongen de trap op. Met zijn zwembroek en een handdoek kwam hij weer beneden.

Het was nu iets over tweeën. Om halfvier werd hij op de Stationsweg verwacht. Op zijn fiets reed hij naar het openluchtzwembad. Het was stil omdat het een doordeweekse dag was.

Hij verkleedde zich en liep direct door naar de

duikkolk en beklom de trap naar de hoge duikplank. Boven aarzelde hij. Twee oude dames keken toe. Langzaam liep hij naar het einde van de plank, draaide zich om, stond even stil. Op het moment dat hij achterover dreigde te vallen zette hij af, maakte een salto achterwaarts boven de plank en kwam rechtstandig in het water. Hij durfde dus nog steeds een salto te maken. Hij kon trots op zichzelf zijn. Toen hij boven water kwam, applaudisseerden de beide dames. Onno maakte ook nog een handstand op de plank en dook. Hij had nog meer acrobatische toeren tot zijn beschikking, maar hij wist genoeg. Met enkele snelle slagen borstcrawl zwom hij het bad in de breedte over. Goed, het licht uit één oog was dan abrupt verdwenen, maar verder mankeerde hij niets. Om uit het bassin te komen maakte hij geen gebruik van het aluminium trapje. Hij zette zijn handen op de kant, duwde zich op en was uit het water. Zo gezond als een vis.

Om kwart over drie reed hij de Stationsweg in. De GGD bevond zich op nummer drie. Dat verbaasde hem opeens. Nummer drie was die hoge witte villa waarin de Sociale Dienst zat. Die kende hij nog uit de tijd dat zijn vader leefde.

De villa moest nog niet zo lang geleden geschilderd zijn. Zij flonkerde in de zon. Het bord 'Sociale Dienst' was vervangen door een bord 'GGD – Gemeentelijke Gezondheidsdienst, Veluwe-West'.

Hij reed het pad op, sprong van zijn fiets, vlak voor de ingang, die opzij was. Boven de ingang stond in groene letters 'Silva Sanat'. Dat was nieuw. 'Bos geneest.' De bosrijke omgeving, de geurende dennenbomen, de vele tijmsoorten die hier gevonden werden... Zelfs de geneeskrachtige kruiden zouden zijn oog niet beter maken.

Hij meldde zich bij de receptie, werd verwezen naar de rij stoelen links in de hal. Niets was veranderd. De stoelen hadden nog steeds een rechterarmleuning die, heel kinderachtig, in een smal schrijftableau eindigde. Stoeltjes voor een kleuterklas. Rijnstra bladerde in een blad dat *GGD-nieuws* heette. In een hoofdartikel werd gesproken over de indicatorenlijst Regionaal Gezondheidsprofiel. Belangrijke indicatoren in een gebied waren morbiditeit, handicaps (mate van afhankelijkheid), subjectieve gezondheidsbeleving en de gemiddelde score ADL (Algemene Dagelijkse Levensverrichtingen). Hij legde het blad snel weg. Het dateerde trouwens van een jaar geleden.

Rijnstra was de enige patiënt. Hij dacht aan zijn

vader. Op de plaats waar hij nu zat had wekelijks zijn vader gezeten. Door gewrichtsreuma kon hij zijn bedrijf niet voortzetten. Het werd gesaneerd. Dat wil zeggen, de kassen werden verzegeld en hij kreeg een kleine uitkering om van te leven.

Met zijn volledige baan als leraar had Onno heel gemakkelijk ook zijn vader kunnen onderhouden. Die stond er echter op in zijn eigen onderhoud te voorzien. De uitkering moest persoonlijk worden opgehaald. Elke dinsdag om vier uur in de middag reed Onno zijn vader naar de Stationsweg, stopte voor in de straat en liet hem in de auto. Dan liep hij snel naar de villa om te kijken of er bekenden in de wachtkamer zaten. Was dat het geval, dan bleef zijn vader in de auto wachten tot de kust veilig was. Men mocht niet weten dat hij van een uitkering rondkwam.

Een deur ging open. Een nog tamelijk jonge man kwam met uitgestoken hand op hem toe.

'U moet meneer Rijnstra zijn. Mmm, vingers nogal koud. Kan een kwestie van slechte doorbloeding zijn. Maar gaat u naar binnen. Heeft u vaker last van koude handen?'

Onno zei dat hij net van het zwembad terugkwam. De arts keek hem verbaasd aan.

'U komt nu toch van het Radboud?'

'Ik ben daarna naar het zwembad geweest.'

'Sportief dus. U heeft er toch geen bezwaar tegen dat een stagiaire bij ons gesprek aanwezig is?'

Een jonge vrouw kwam via een andere deur binnen. Rijnstra was liever met de arts alleen geweest. Hij had dan vrijer kunnen praten. Nu zou dit meisje (hij schatte haar niet ouder dan twintig) horen dat hij definitief het licht in één oog kwijt was.

Ze ging terzijde van hem zitten.

'Ja, en nu uw verhaal. Wacht, u zei dat u van het zwembad terugkwam...?'

Onno vertelde, vooral om indruk te maken op de stagiaire, dat hij wat achterwaartse salto's van de hoge had gemaakt. De arts geloofde hem niet. 'U bent van 1940. Dus tweeënvijftig jaar. Maakt u werkelijk salto's?'

'Ik wilde mijzelf bewijzen dat ik het nog durf, dat ik zo gezond ben als een vis en morgen weer naar school kan gaan.'

De arts hield zijn ogen strak op hem gericht.

'Ik zal open kaart met u spelen. Ik heb daarnet contact met het Radboud gehad. Het gezichtsvermogen van uw rechteroog is praktisch nihil.' Hij wendde zich tot de stagiaire, waarschijnlijk een medisch studente. 'Visus 0,01.' Hij trok er een bedenkelijk gezicht bij. 'U bent natuurlijk vreselijk geschrokken. Zo'n bericht gaat je niet in de kouwe kleren zitten. Vandaag bent u, vanzelfsprekend, niet op school geweest. Het lijkt me beter dat we die situatie nog een tijdje continueren. U is iets heel beroerds overkomen en dat zal verwerking kosten.' En tegen de stagiaire: 'Toestand van het oog is irreversibel.'

Rijnstra probeerde zijn ergernis te onderdrukken, verklaarde zo rustig mogelijk dat hij morgen graag naar school wilde, dat hij net wilde doen of er niets aan de hand was, natuurlijk zou hij het verlies van zijn oog moeten verwerken, maar de school wilde hij daar niet onder laten lijden. 'Niet dat ik me nu tegenover u wil presenteren als een topdocent, ik bedoel slechts te zeggen dat het mij het beste lijkt zo gewoon mogelijk over dat verlies te doen.'

Rijnstra was tevreden over deze woorden. Ze klonken bedachtzaam, waren logisch. Er was geen speld tussen te krijgen.

'U lijkt in uw wiek geschoten,' merkte de arts op. 'Dat begrijp ik best. De boodschap die u vanmorgen heeft gekregen is bepaald onaangenaam. U zegt nu wel dat er niets aan de hand is...'

'Ik wil net dóen of er niets aan de hand is,' onderbrak Onno hem.

'Maar meneer Rijnstra, er is met u van alles aan de hand en dat had ik al met een half oog in de gaten toen ik u zo-even in de gang zag zitten. U was nerveus, uw stem klonk gejaagd toen ik u aansprak, uw handen voelden opmerkelijk koud aan. Net reageerde u al hoogst geprikkeld. Hoe zal dat in de klas gaan? Een leerling die zijn boek vergeten heeft, die zijn huiswerk niet heeft gemaakt, die te laat de klas binnenkomt? Reageert u geprikkeld, valt u tegen ze uit, stuurt u ze naar de conrector? Ik doe nu mijn rechteroog dicht en houd mijn hoofd recht. De deur schuin achter u kan ik niet zien. U heeft een klas van drie lange rijen, in vrij brede lokalen. Die kunt u met één oog niet goed in de gaten houden! Als u recht voor u uit blijft kijken, ziet u dan mijn stagiaire?'

'Min of meer.'

'Min of meer. Wat denkt u van spieken bij proefwerken? U denkt het allemaal te overzien. Ik kan u op een briefje geven dat u het niet overziet en u verliest uw gezag. Ik heb er zo meer zien verongelukken.' En tegen de studente zei hij: 'Knijpt u uw oog maar eens dicht. Dat valt zo tegen.' Het meisje kneep een oog dicht, meldde dat ze het halve vertrek niet meer zag, dat ze er niet aan moest denken dat ze echt een oog zou moeten missen...

Onno vroeg of hij dan niet een klein aantal lessen mocht blijven geven. 'Ineens helemaal zonder werk zijn...'

De bedrijfsarts zei dat hij zijn arbeidsethos zeer waardeerde, dat hij ook van de school had begrepen dat hij een harde werker was. 'Maar het gaat nu in de eerste plaats om uw gezondheid. Hoe eerder u beter bent, des te eerder kan de school weer van u profiteren. U bent sportief. Dat zag ik direct al aan uw hele lichaamsbouw, breed in de schouders, smal in de heupen. Heeft u vroeger geturnd?'

'Dat was vroeger mijn favoriete sport,' gaf Rijnstra toe. 'En torenspringen...'

De arts en het meisje keken hem aan. Uit hun blikken sprak bewondering.

'U zult mij wel een vreemde patiënt vinden,' zei Onno. 'Maakt u vaker mensen als ik mee?'

De arts lachte breeduit, terwijl hij zijn stoel ver naar achteren schoof, zijn lange benen over elkaar sloeg en zijn armen wijd spreidde: 'Meneer Rijnstra, we maken hier alles mee. U kunt het zo gek niet bedenken. Doet u nu maar wat ik zeg. U blijft voorlopig thuis. Laten we zeggen dat we het eerst eens een maandje aanzien. Dan komt u hier terug en weten we al of het andere oog zich aan de situatie accommodeert. Wacht u op mijn oproep. Zit ook niet nerveus op een oproep te wachten. Wij vergeten u hier niet. Ik ben blij dat u uw enigszins halsstarrige houding hebt laten varen, die ik overigens best begrijp. Ik zou net zo zijn. Het lijkt ook misschien wel of ik samenspan met de rector. Dat doen we natuurlijk niet, want wij zijn een zelfstandige dienst, maar mocht dat zo zijn, dan enkel en alleen om uw bestwil. Wij zijn erbij gebaat dat u zo snel mogelijk weer de oude bent, niet uit balans...' Hij stond op, gaf Onno een hand, klopte hem op de drempel nog op zijn schouder en sloot de deur achter hem.

Hij stond tegenover de rij lege stoelen in de hal en vroeg zich af wat er nu over hem werd gezegd.

4

Gehaast, alsof hij werd achternagezeten, reed hij de Stationsweg uit. In de enige winkelstraat van het dorp deed hij een paar boodschappen. Om vijf uur was hij thuis.

Tijd om de kippen voer te geven. Achter in de tuin hield hij voor de aardigheid zes krielen en een kleurige haan, ras origineel Hollands hoen, die goed legden en hem herinnerden aan heel vroeger, aan de tijd dat hij met zijn ouders bij zijn opa op bezoek ging. De krielen waren de laatste dagen nogal agressief, pikten elkaars veren uit. Volgens de handboeken was dat een teken dat ze zich verveelden. Hij gaf ze voer, harkte dat diep onder het zand van de ren. Het zou hun nu moeite kosten het voer te vinden en dat gaf afleiding. Hij vond in het nestkastje twee kleine eitjes en haalde ze eruit. Teruglopend bleef hij bij de dahlia's staan, die nodig 'gediefd' moesten worden. Dat was een karweitje voor morgen. Ook was hij er nog steeds niet toe gekomen om het mos tussen de tegels weg te halen. Hij werd er vrolijk van. De vrije dagen in het verschiet kwamen hem heel goed van pas. Toch had hij er geen spijt van zich een beetje halsstarrig te hebben opgesteld. Men wist nu dat hij graag naar school ging en dat hij niet over zich heen liet lopen.

Er liep een geel rupsje op een dahliablad. Anders zou hij het eraf hebben getikt en onder zijn hak vermorzeld. Nu volgde hij het beestje, dat zwarte voelsprieten en oogjes had. Hij besefte ineens dat hij tranen in zijn ogen had. Hij was dus heel snel uit zijn evenwicht, het geringste emotioneerde hem. Het was goed er even helemaal tussenuit te zijn. Een oog verliezen. Daaraan wennen kostte tijd.

Hij kookte de eitjes en bladerde in het boek van voornamen, dat met het Nederlandse plaatsnamenboek al jaren op tafel lag. Voluit heette hij Onno Robbrecht. Hij hoefde de betekenis van zijn naam niet op te zoeken: rob-brecht- schitterend door roem, Oudgermaans. Hij wist ook dat de plaatsnaam E. afstamde van het Germaanse Heoa = heide. Die afleidingen spraken tot zijn verbeelding, al waren ze onzeker.

Hij keek in de tv-gids. Er waren geen sportuitzendingen. Hij besloot zijn enige familielid, oom Karel, op te zoeken, die in het bejaardentehuis Mooiland in Renkum woonde. Het leek Onno beter om niet de auto te nemen.

'Hedwig, jij mag ook mee.' De hond keek hem opgetogen aan. Samen liepen ze de straat uit. Er was een bushalte halverwege de winkelstraat, tegenover de bloemenwinkel. Vader had hier vroeger aan geleverd. De rekeningen waren nooit betaald. Dat kon hem nog woedend maken. Als er geen nieuwe eigenaar in had gezeten, zou hij een trap tegen de winkeldeur hebben gegeven. Hij maande zich tot kalmte.

Een jonge vrouw kwam ook bij de halte staan. Tot een jaar of vijf geleden ongeveer waren meisjes in de klas heel regelmatig verliefd op hem geworden en soms was hij op hun avances ingegaan. Min of meer abrupt was dat opgehouden, hij kon niet exact het moment aangeven wanneer. Hij giste naar de reden. Heel waarschijnlijk was het zijn leeftijd. Hoewel in romans en films vijftigers altijd 'interessant' waren. Had hij niet onlangs gelezen dat Robert Redford een gouden vijftiger was?

De bus stopte. Hij liet haar voorgaan en ging tegenover haar in de lege bus zitten.

Ze reden de bebouwde kom van E. uit, kwamen in het niemandsland dat de stad aankondigde. Peter Falk, de bekende acteur die Columbo speelt in tv-thrillers, kwam in zijn gedachten. Deze acteur kneep altijd een van zijn ogen dicht. Zijn gezicht kreeg zo een dubbelzinnige uitdrukking die heel attractief voor vrouwen was. Die truc (het was hem bekend dat de acteur vanaf zijn vroegste jeugd een glazen oog had) kon hij, zodra hij weer voor de klas stond, ook toepassen. Hij kneep zijn oog dicht omdat hij wilde oefenen en omdat er werkelijk wat tranenvloed was, en keek de vrouw tegenover hem aan. Ze stond op en ging achter in de bus zitten. Het had geen zin excuses aan te bieden, hij zou het alleen maar erger maken en ook nog de kans lopen dat ze ging gillen.

Hij schaamde zich, stapte bij de volgende halte uit en wachtte op een nieuwe bus.

5

Bejaardentehuis Mooiland deed zijn naam eer aan, lag ver van de weg, in een park met rododendrons. Onno zocht zijn oom elke zondag op; hij werd over enkele weken zesennegentig.

'Meneer Horsting zit buiten,' zei de dame van de receptie tegen hem, 'achter het huis.' Onno liep de koele gang door. Hij nam zich voor niet over zijn oog te praten. Oom Karel was hardhorend, was zelf aan staar geholpen. Het zou een lang en moeizaam gesprek worden. Hij liet oom liever zelf aan het woord. Hij was een groot causeur. Onno verveelde zich nooit bij hem. Het had geen zin de oude man met zijn oogprobleem lastig te vallen.

Oom Karel zat in de schaduw, alleen aan een tafeltje. Hij ging niet om met de andere bejaarden. Voor zinloze praatjes, voor een partijtje biljart had hij geen tijd, hij leidde een actief bestaan.

Hij was blij verrast zijn neef te zien, en zei dat hij net een brief aan de Nederlandse regering de deur uit had. Hij liet Onno een kladje lezen. K. Horsting, voormalig directeur van NV Sumatra's Goudmijn, eiste zeshonderd miljoen gulden wegens derving van inkomsten.

'Zet ze het mes maar op de keel,' zei Onno, 'heel goed, ze moeten weten dat u in uw recht staat. Wel in '41 alle installaties laten vernietigen zodat de Jappen er niet van konden profiteren, maar na de oorlog geen cent schadevergoeding.'

Oom streed al sinds het einde van de oorlog voor zijn recht: herstelbetaling. Hij vocht dat tot aan de hoogste instanties uit, had zich zelfs tot de Raad van Europa gericht. Eén keer was zijn brief beantwoord, vlak na de oorlog, door Drees persoonlijk. Zijn zaak zou in behandeling genomen zijn. Daarna was Nederlands-Indië onafhankelijk geworden en waren alle bedrijven genaast.

'Mijn laatste bod,' zei oom. 'Het is meer dan het totale budget van het Bureau Schadeclaims Indonesië. Toch is de werkelijke derving van inkomsten veel hoger. Het goud in de Pantoean-vallei lag er voor het oprapen. Er was daar overal goud. In de afzettingen van de kwartsgangen, in de pyrietkristallen. Gedegen goud. Goudnesten of, zoals wij zeggen, "bonanza's". Rijker rif is in de wereld nog steeds niet aangetroffen. Nog rijker dan de Alaska Goudmijn, waar bovendien goud en lood nog van elkaar moeten worden gescheiden...'

Het viel Onno op dat zijn oom er vandaag nog brozer uitzag dan anders. De adertjes over zijn slapen waren van een heller blauw. Er stak wat wind op en het werd kil in de schaduw. Oom wilde niet in de zon bij de andere bejaarden zitten.

Onno stelde voor naar zijn kamer te gaan, die uit twee vertrekken bestond en tegenover de receptie lag. Het was het voormalige kantoor van de directeur van Mooiland. Op de deur was een bordje bevestigd: 'NV Sumatra's Goudmijn'.

Oom ging met kleine, behoedzame pasjes voor. Zijn benen waren stram en stijf. Eens hadden die benen in de mijngangen van het Boelangsi-hoofdrif gelopen. Ja, oom had een groots leven geleid vóór de oorlog.

Via de keuken en woonkamer kwamen ze in een vertrek waar rond een lange tafel acht stoelen stonden. Dit was de directiekamer. Hier hield oom zijn jaarlijkse aandeelhoudersvergadering. Er was nog nooit een aandeelhouder verschenen. Ze waren dood, of nog ouder dan oom. Sinds de naasting waren hun aandelen waardeloze vodjes papier.

Oom zette thee en schonk met precieze gebaartjes twee kleine Chinese kopjes half vol. Hij deed er een vingerhoedje rum bij. Ze gingen aan de lange tafel zitten. Op een koperen asbakje lag een uitgedoofde sigaret. Oom stak hem aan en doofde hem na drie trekken waarbij hij diep inhaleerde. Hij genoot zichtbaar van de fijne rook die nog lang daarna uit zijn neus kwam.

Aan de muur hingen deelkaarten van Sumatra, officiële geologische schetsen van het vennootsterrein, uittreksels van exploitatiecontracten van de NV, een foto waarop oom, staande voor de ingang van een schacht, net een zwarte panter heeft gedood. Op tafel lag een jaargang van het *Mining Journal*, uit 1932.

Ze dronken thee. Oom zei: 'Waarom zouden ze niet reageren? Ik sta toch in mijn recht! Die zeshonderd miljoen die ik vraag is een koopje. Twaalf miljard zou dichter in de buurt komen...' Zijn verbleekte ogen keken verbluffend vief om zich heen. Met die blik van hem daagde hij al zijn onzichtbare vijanden uit.

Achter hem hing een groot schilderij met een

woest landschap van een berg en steile kraterwanden. Daaronder stonden de woorden 'Tapro-Bana'.

'Het was in de oudheid al bekend,' begon oom, 'dat Sumatra rijke goudaders heeft. Ooit zijn ze ook geëxploiteerd en later weer met bos bedekt of ingestort. Vrijwel alle aanwijzingen zijn verdwenen. In oude teksten over het goudland tref je altijd de woorden Tapro-Bana aan. Er zijn geleerden die geloven dat een ooit bestaand goudland in Afrika zo heeft geheten en dat koning Salomo daar zijn schepen heen zond. Ik heb ontdekt dat bana een Minang-Kabaus woord is dat "echt" betekent en dat tapro de vermoedelijk verkeerd opgevangen klank van het door een Minang-Kabauer vlug uitgesproken woord telampo, overvloedig, of tampo, aanwijzing, is. Je kunt je wel indenken dat vreemdelingen die in Sumatra kwamen en daar het goud zagen dat de bevolking toen als ruilmiddel gebruikte, informeerden naar de plaats van herkomst. Ik stel me zo'n gesprek als volgt voor:

Een Arabier op een markt vraagt: Waar krijgen jullie al dat goud vandaan! Een Minang-Kabauer zegt dan: Sinen, di Goenoeng Gedang, di oeloe Batang-Hari amè banjak tampo telampo bana. Wat woord voor woord betekent: daar op berg groot bij bron rivier Hari (= dag) goud veel, aanwijzingen overvloedig, echt.

De Arabier, weer wijzend op het goud en dan op het gebergte: Tampo telampo bana. Inderdaad daar zijn veel aanwijzingen.'

Oom schonk nog eens thee in en vervolgde: 'Die berg heb ik ver voor de oorlog ontdekt, in een onbewoond, met oerbos bedekt land. Daar heb ik het stuk goud gevonden...' Hij kwam overeind en liep naar de hoek van het vertrek, waar een kluis stond, haalde er een klomp erts uit. Pronkstuk van de maatschappij, eigenhandig gedolven. Goudklomp van tien ounces en vijftien grains. Hij legde het goud voor Onno neer. Het flonkerde in de halfduistere kamer. Oom Karel stak zijn sigaret weer aan, nam een trek, doofde hem direct. Zo rookte hij drie sigaretten per dag. Drie sigaretten was zijn tax. Hij was niet verslaafd.

Hij ging weer aan het hoofdeinde van de tafel zitten en zei dat het goud even sterk blonk als toen hij het gevonden had. Dat miljoenen jaren eerder de schittering niet minder was geweest. Ontelbare jaren na hem zou ze nog even helder zijn.

'Zilver kan vlekken, verweren, zwart worden. Goud roest noch splijt noch schilfert. Goud kent geen aftakeling. Goud is onsterfelijk. Goud is het eeuwige leven.’

Ze keken beiden naar het goud.

‘En dan zijn er mensen die willen ontkennen dat ik de grote goudmijn gevonden heb. Salomo zond zijn schepen naar een gebied in de buurt van de evenaar en ze kwamen terug met goud, almuggimhout en pauwen. Drie producten die aan Salomo’s hof zeer gewild waren. Sumatra ligt aan de evenaar, almuggim is het daar voorkomende sandelhout en pauwen kwamen inheems alleen in Indië voor. Salomo’s schepen voeren dus niet naar Afrika, maar naar Sumatra.’

Onno kende de verhalen. Hij vond ze steeds weer mooi. Ooms detailkaarten van het gebied gaven exact de in de oorlog verzegelde ingangen aan. Oom beroemde zich erop dat men zonder zijn hulp het rif nooit zou kunnen vinden.

Oom Karel was moe geworden. Onno borg het goud in de kluis en bracht de oude man aan zijn arm naar de woonkamer. Ze keken naar het verkeer, ver weg op de rijksweg. De schaduw van het zonnescherm lag als een dun floers over ooms bijna doorzichtige huid. Ranken van een kamperfoelie verspreidden een zoete geur. Mussen die zich in de muurbegroeiing hadden genesteld, maakten kwetterende geluiden, raakten met hun snavel het raam. Oom viel in slaap. Zo eindigde elk bezoek. Onno raakte voorzichtig zijn ooms hand aan. Hij was ontroerd. Al die tijd had hij niet aan zijn oog gedacht.

6

's Avonds werd hij gebeld. De stem van een jonge vrouw deelde hem mee dat ze zijn telefoonnummer van de rector had gekregen, dat zij hem ging vervangen en graag informatie over de klassen wilde.

Ze had een erg vlotte manier van spreken. Dit was haar tweede tijdelijke baan, zei ze, sinds ze was afgestudeerd aan de universiteit. Ze had geen moment spijt van haar studie Frans. Het was een heerlijke taal. La plus belle langue.

'U hebt problemen met uw oog, hè? Of wilt u daar liever niet over praten?' Dat kon ze zich goed voorstellen. 'Voor u hoop ik dat de vervanging niet lang duurt, maar de rector was niet optimistisch...'

Hij kon er moeilijk tussen komen. Over zijn oog was Rijnstra heel kort. 'Beetje pech gehad.' Hij gaf haar de informatie die ze nodig had en wenste haar sterkte.

Ze zei dat ze niet bang was. 'O, het lukt me zeker, ik heb ook goede referenties van de vorige school gekregen. Daarom ben ik hier aangenomen. Mijn vriend werkt op een school in Amsterdam. Die school ken ik ook. Ik geloof niet meer zo in dat grote verschil tussen kinderen in de stad en die in de provincie...'

Hij brak af. Ze ergerde hem. Het had ook geen zin het gesprek over andere thema's voort te zetten. Ze had dus een vriend. Even had hij gehoopt... Hij zou haar inwerken, zij zou hier langskomen. Haar stem had vol en melodieus geklonken.

Zij ging dus, voorlopig althans, zijn plaats innemen, sprak met zijn leerlingen, zat op zijn stoel aan zijn bureau. Zonder dat het absoluut noodzakelijk was. Hij geloofde opnieuw dat hij morgen heel goed naar school zou kunnen. Jammer dat hij niet met de rector bevriend was. Dan had hij vanavond bij hem langs kunnen gaan om erover te praten, om hem ervan te overtuigen dat hem nauwelijks iets mankeerde. Onder zijn collega's had hij evenmin vrienden gemaakt. In zijn beginperiode was hij wel op hun feestjes gevraagd, maar het bleek al gauw dat hij altijd alleen kwam en slechts bij vlagen zijn zwijgzaamheid verbrak voor een onverwacht lyrische uitbarsting over een boek, een nieuwe variëteit plant – een uitgelokte mutatie die een helwitte afrikaan had opgeleverd. De invitaties waren snel opgehouden. Hij had trouwens niemand teruggevraagd. Daarna had een collega hem een keer in de stad aangetroffen, in innige omhelzing met een leerling uit zes atheneum. Dat verhaal had heel snel de ronde gedaan. Bijna allemaal lieten ze hem links liggen.

Hij hield van de school, gaf graag les en was, omdat hij soms heel onverwacht zo uitbundig kon zijn, onder de leerlingen populair.

De dagen die volgden bracht hij in de tuin door, en hij ging hardlopen met zijn hond.

Zondagmiddag bezocht hij oom Karel in Mooiland. De huid van zijn handen en zijn gezicht leek nog doorzichtiger. Hij was spraakzamer dan ooit. Uitgebreid beschreef hij Onno hoe hij vanuit Padang de legendarische berg had bereikt. Na tien dagen waren ze met drie dragers de Soebangpas overgestoken, op achttienhonderd meter boven de zeespiegel. Toen daalden ze de weg af en begon het oerwoud. Meer dan twintig steile bergruggen. Ten slotte waren ze in het oude gebied van de hoge berg aangekomen.

Oom liet hem andere, nog preciezere detailkaarten zien, schaal 1:900.000, met de bijbehorende coördinaten.

'Waarom bent u zelf nooit teruggegaan, oom?'

'Ik was niet welkom. Maar ze hebben me nodig. Zonder kaarten zullen ze de ingangen van het rif nooit vinden...'

Op de terugweg stapte Rijnstra met zijn hond in de stad uit, om die zondagmiddag op het terras van Riche een glas bier te gaan drinken.

7

Riche was gemoderniseerd. De terrasstoelen waren nieuw, de obers droegen nu een wit colbert met rode tressen. Op de brede revers stond in gouden letters 'Riche'. Zijn oog was overgevoelig en traande. Hij kneep het dicht en bestelde een biertje. De ober vroeg of hij hinder van het zonlicht had; hij wilde binnen wel vragen of de zonneschermen in een lagere stand konden.

'Nee, nee,' bedankte hij haastig. Zijn hond lag braaf naast hem en keek naar hem op. Hij streelde het dier en liet zijn hand even op zijn kop rusten.

Hij keek naar de bussen die vanaf het station kwamen, op het Willemsplein voor Riche stopten en dan naar alle delen van de stad uitwaaierden.

Nu wachtten er drie lege bussen achter elkaar.

Hun deuren stonden open. De achterste bus had E. als eindpunt.

Hij dacht aan zijn vader die als kleine zelfstandige meer dan twintig jaar voor zijn AOW had betaald. Op de dag dat hij vijfenzestig werd, zou hij voor de eerste keer AOW ontvangen. Zijn vader had daarnaar uitgekeken. Hij zou dan niet meer naar de Sociale Dienst hoeven en er zou geen geld meer uit zijn bedrijf worden genomen, want het totaalbedrag aan uitkering moest ooit worden terugbetaald. Op de ochtend van zijn verjaardag overleed hij. Dat had Onno Rijnstra als een grove onrechtvaardigheid van het lot ervaren. Nog geen week na vaders dood was er al een brief van de Gemeentelijke Sociale Dienst gekomen. De afgelopen jaren was er een bedrag van een kleine vijftigduizend gulden aan zijn vader uitgekeerd. Dat moest zo snel mogelijk worden terugbetaald. Gesuggereerd werd om de kwekerij aan de gemeente te verkopen. Men zou de waarde door een onafhankelijke taxateur laten schatten en een hoge grondprijs betalen. De gemeente kon de grond in de toekomst goed gebruiken in haar nieuwe bestemmingsplannen. Rijnstra had het voorstel hooghartig afgewezen. Niemand mocht met zijn vingers aan de kwekerij komen. Die vijftigduizend had hij niet contant, maar die leende hij wel. Door bijlessen te geven, jarenlang, en het vakantiegeld op te sparen loste hij het bedrag af. De kwekerij was zijn bezit. Een schitterende enclave midden in het dorp. Zeer begeerd. Onlangs nog was het bestuur van de katholieke kerk bij hem geweest. De kwekerij grensde aan de katholieke begraafplaats, die overvol raakte. Men wilde zo graag uitbreiden. Er werd al in de paden begraven en oude graven werden eerder geruimd dan wettelijk was toegestaan.

Hij hoorde het belletje van een ijscowagen. Op het wagentje stond 'Venezia'. Een oude, tamelijk dikke man sloeg met een stokje tegen een bel die op het stuur zat gemonteerd.

Die man kende hij! Dat was Pol, zijn oude gymleraar van Ganoteon (Gaat nooit ten onder), de turnclub uit zijn jeugd.

Onno stond op, stak snel het trottoir over. De man zag hem aankomen en parkeerde zijn wagentje schuin tegen de stoeprand.

'Meneer Pol, ik ben het, Onnie.' Door zijn gymleraar werd hij vroeger altijd Onnie genoemd. Hij was zijn favoriete leerling, het gretigst om te leren.

De ijscoman zocht in zijn herinnering.

'Onnie, Onnie Rijnstra uit E. U kunt mij niet vergeten zijn. Weet u nog wel... ik mocht altijd naast u zitten als u in het verkleedlokaal de contributie ontving. Vijftig cent per keer. Op dinsdagavond van zeven tot negen in de gymzaal aan de Oude Amsterdamse weg?'

Het gezicht van de ijscoman betrok.

'Laat me met rust,' zei hij. 'Ik ken u helemaal niet.' Hij deed net of Onno er niet was, klom op zijn wagentje en reed het plein af.

'U tekende de contributie aan op een lijst,' had Onno hem willen naroepen. 'Sommigen betaalden per keer, anderen per maand. Ik deed het geld in het kistje, een rood metalen kistje...'

Hij liep terug naar het terras. Tegen meneer Pol had hij opgekeken. Deze had hem ook een grote toekomst als turner voorspeld. Moesten ze nu vijftig of dertig cent per keer betalen? De hele week keek hij uit naar de gymles. Op school kon hij er dinsdags helemaal zijn gedachten niet bijhouden. Altijd was hij de eerste die zich bij de gymleraar meldde. Al gauw had hij hem voorturner gemaakt. Magnesiumpoeder op zijn handen doen. Zijn plaats innemen onder de stilhangende ringen. Hij rook op dit moment de toestellen en voelde het magnesiumpoeder op zijn handpalmen. Omhoogkijken, springen, de ringen grijpen, zich opduwen, de touwen uiteenbuigen. Centimeter voor centimeter. Tot zijn armen helemaal gestrekt waren en de ringen kraakten in hun hengsels. Benen strak naast elkaar. Hij hing hoog boven de vloer van de zaal. De enige van de jongensgroep die al sterk genoeg was om de breedtestand uit te drukken.

Hij begreep wel waarom Pol hem niet had willen kennen. Hij begreep dat vooral omdat hij nu zelf tijdelijk geen werk had. Allang nadat Onno van turnen af was had hij gelezen dat Pol geld had verduisterd. Die fraude zou zich over vele jaren hebben uitgestrekt, volgens de krant. Door het bestuur van de club was hij op staande voet ontslagen. Het had Onno's bewondering niet kunnen aantasten. Integendeel. Hij was om die duistere, onbegrepen kant nog meer tegen de man gaan opzien.

8

Die nacht trok een onweer over de streek met hagel en slagregens. Verrukt luisterde Onno Rijnstra. Dit weer benadrukte de veilige beslotenheid van zijn huis. Hier kon niemand hem te na komen.

De volgende morgen was de hemel blauw. Nog

dropen de bomen en struiken. Stelen van de ridderspoor, met zware bloemtrossen, in hun tweede bloei, zwaar van de regen, waren geknakt. Dahlia's en gladiolen lagen tegen de grond. Hij was de hele dag bezig de tuin te fatsoeneren, bond bloemen op, sneed afgebroken takken weg. Hij vergat zijn oog. Het kwam goed uit dat hij vandaag niet naar school hoefde. Een moment vroeg hij zich af hoe hij anders de dag zou hebben doorgebracht. Het antwoord moest hij schuldig blijven. Misschien was hij rond de pauze naar school gegaan. Koffie drinken in de docentenkamer. Naar het geroezemoes van de gesprekken luisteren. Vertellen aan wie geïnteresseerd was wat hem was overkomen.

Morgenvroeg had hij ook wat om handen, want hij werd om halfnegen in het Academisch Ziekenhuis verwacht voor nader onderzoek. Hij deed zijn dagelijkse druppeltje diopine in zijn rechteroog om de druk omlaag te halen.

Hij rook aan de rode bloem van een stamroos. Een nieuwe geurige variëteit, die hij dit voorjaar had aangeschaft. Hij rook niets. Waarschijnlijk had de overvloedige regen de geur eruit geslagen. Ze hing er ook erg verregend bij.

Hij ging met de auto. Was zijn zicht na allerlei onderzoeken te troebel om in de auto te gaan zitten, dan ging hij eerst een lange wandeling langs de Waalkade maken. Uit de krant wist hij dat de Ooypolder een ecologisch lustoord was. Hij had immers een hele dag voor zich!

Onno Rijnstra was op weg naar Nijmegen. Vergiste hij zich nou? Boven de weg was een smal oranje lint opgehangen, een vaan uitlopend in drie punten. Hij dacht direct aan oude plaatjes met een wapperende banderol boven een middeleeuws kasteel. Was het boven de weg gespannen omdat verderop een straatfeest werd gehouden? Maar hij reed op de snelweg. Een doek met een reclameleus? Op hetzelfde moment zag Onno dat hij zich vergist had. De linten waren op slag teruggebracht tot hun gewone lengte, waren slechts drie lintjes, dunne fliedertjes stof aan de antenne van de auto die voor hem reed, herinnering aan de favorietenrol van Nederland de afgelopen zomer tijdens het EK voetbal. Was hij slachtoffer van een hallucinatie? Maar hij had ze werkelijk sterk vergroot gezien, golvend tegen de hemel.

'Nu naar rechts draaien, naar links, naar onderen... nee, naar onderen! ja zo... nu naar boven...' Hij deed zijn uiterste best. De oogarts die hem nu onderzocht was een man. De stagiaire van de vorige week was naar 'Operatie' overgeplaatst.

De arts gebaarde naar drie studenten. Ze moesten dichterbij komen. Voor hen moest hij zijn oog weer alle kanten op draaien. Toen scheen de arts met een fel licht in zijn zieke oog. Hij doceerde: 'Pupil vernauwt zich. Let goed op. Ik blijf in het oog schijnen. Wat valt jullie op?' De arts gaf zelf het antwoord: 'Pupil gaat langzaam open. Noteer dat. Mooi voorbeeld van de paradoxale reflex van Marcus Gunn.'

De studenten namen weer enige afstand en maakten aantekeningen. Met zijn goede oog zag hij dat ze nauwelijks twintig waren. Ze zouden gezonde ogen hebben en hun wachtte een imposante carrière.

De arts trok zich nu een tijdje niets van hem aan, sprak met de studenten over de overerving van deze ziekte, een onderwerp dat hij in zijn proefschrift had behandeld. Al in zijn studietijd was hij een familie in Dinxperlo op het spoor gekomen waarin veel blindheid door glaucoom voorkwam. Doordat het volledige kerkarchief van het dorp nog intact was had hij ook alle voorgeslachten kunnen traceren, tot in de vijftiende eeuw terug. Blindheid moest in dat dorp een constante plaag zijn geweest, want bij overlevering was bekend dat een waterbron naast een kapel blinden kon genezen. Ook werd de heilige Cecilia er vereerd, zoals u weet beschermheilige van musici en blinden.

'Interessant,' interrumpeerde Onno luid, 'maar mijn ouders hebben nooit een bril nodig gehad.' De arts keerde zich naar hem, mompelde iets onverstaanbaars en mat zijn oogdruk. Die was iets gezakt, maar te weinig. Hij kreeg een recept voor andere oogdruppels. Betoptic. Daarna ging hij aan zijn bureau zitten en schreef in Rijnstra's dossier. Hij bladerde terug.

'Begrijpt u goed, meneer Rijnstra, behandeling neemt de gevolgen van de schade niet weg, maar voorkomt verdere achteruitgang. Het minimum aan licht dat er nog in uw rechteroog zit, willen we behouden. Wel vervelend, hoor. Zo jong nog. Deze aandoening doet zich gewoonlijk tegen het zeventigste levensjaar voor. Daar heb ik ook een artikel aan gewijd. Als u mij nu vraagt waarom u daar nu al mee geconfronteerd wordt, tja. Predispositie door de anatomie van dit oog. Uit de iris is alle pigment weggevloeid en dat heeft de drainering van het oogvocht geblokkeerd. Die situatie is niet redresseerbaar. We gaan palliatief behandelen, dus behouden wat er nu is...'

Hij kwam dichtbij, wierp nog een snelle blik in het oog van Onno en vervolgde: 'Het is niet zo'n prettige boodschap. Gunstig is echter dat uw goede oog totaal anders van bouw is. Die bijna bizarre asymmetrie kan sterk in uw voordeel zijn. Ik mag als arts niets uitsluiten, maar het zou mij toch in hoge mate verbazen als de aandoening zich ook in uw linkeroog zou voordoen... Goed, en in zo'n geval zijn we er als de kippen bij. Strategie is dus: oogdruk slechte oog terugdringen en goede oog onder controle houden. Ik wil u over veertien dagen weer terugzien.'

Onno bracht de gezichtshallucinatie ter sprake. De arts haalde zijn schouders op.

'Subjectieve gewaarwording. Overigens: er is geen enkel bezwaar tegen autorijden. Uw andere oog is prima.'

Onno vroeg of hij werken kon en legde snel de situatie uit, omdat hij zag dat de arts enigszins ongeduldig werd.

'Dat is aan u. De ene mens kan met één oog niets meer, de andere alles. Als u zegt dat u werken kunt, kan dat. Ik meng mij niet in een arbeidsconflict.'

'Dokter, ik wil graag werken. Het goede oog kan daar toch geen schade van oplopen?'

'Geen oog wordt moe van het zien, staat in de bijbel.' De arts lachte even. 'Die uitspraak is ook wetenschappelijk juist.'

'Kunt u niet een briefje schrijven dat ik geschikt ben voor mijn taak als docent?'

Rijnstra smeekte bijna.

'Het is niet mijn gewoonte...' Hij keek zijn cliënt aan. 'Vooruit, ik vind u een aimabele man...' Hij pakte een blocnotevelletje dat hij na er enkele woorden op geschreven te hebben verscheurde. 'Nee, ik neem officieel briefpapier van de chef de clinique. Dat kan u beter helpen.' Hij schreef. Daarna las hij hardop voor wat hij had geschreven: 'Bij patiënt is een glaucoom van het rechteroog manifest geworden, met irreversibele netvliesschade. Medisch-somatisch gezien biedt functionele eenogigheid echter geen beperking voor doceertaken.'

Onno dankte hem zo hartelijk mogelijk, raakte zelfs even zijn schouder aan.

9

In de gang van het ziekenhuis volgde hij met zijn blik de wat slepende gang van een verpleegster die een dossier torste. Hij vermoedde dat ze op een slipje na naakt was onder haar uniform.

Het was nog geen tien uur toen hij weer buiten stond. Hij kon autorijden. Met die brief op zak was hij te opgewonden om rustig te gaan wandelen langs de Waal. Hij was ook bang voor het alleen-zijn. Hij kon gemakkelijk de eerste pauze op school halen, die om halfelf begon.

Hij parkeerde de auto voor de school. De leerlingen kwamen juist naar buiten. Een paar meisjes uit zijn vijfde atheneumklas liepen zijn kant op. Ze vroegen wanneer hij weer les ging geven. Ze hadden nu zo'n strenge lerares.

'Heel gauw,' beloofde hij en kneep min of meer bewust zijn rechteroog dicht, maar ze waren al doorgelopen.

Onno ging naar binnen. Boven de deur van de rectorskamer brandde het rode lampje. Daarom liep hij door, naar de docentenkamer, haalde een kop koffie in het open keukentje. Twee, drie keer werd hij door een collega aangesproken en voelde zich even in het middelpunt van de belangstelling. Hij probeerde de essentie van zijn situatie – oogziekte en hunkering naar werk – in één zin uit te leggen, hakkelde... Zijn collega's vroegen geen details, keken hem meewarig aan en zochten de tafel op waar ze altijd aan zaten. Hun belangstelling was wel van heel korte duur, dacht Rijnstra. Maar zo gedroegen ze zich ook jegens andere collega's, troostte hij zichzelf. De pauze was voor een kopje koffie en een snelle bespreking van een gecoördineerd proefwerk.

'Joh, sterkte hoor,' zei er een nog. 'Je bent in ieder geval vrij met dit weer.'

Onno aarzelde. Waar zou hij aanschuiven? De tafel bij het raam, achter de hydro-plantenbak, waar hij altijd zat, was bezet. Aan een tafel verderop zaten collega's met wie hij nooit sprak. Besluiteloos stond hij met zijn koffie midden in de docentenkamer. Die at brood, die was in gesprek over de normering van een repetitie en weer een ander, met slechte orde in zijn klassen, keek zo star voor zich uit dat hij niet bij hem durfde gaan zitten. Op een lege tafel lag het docentenboek. Hij sloeg het open. Hij las de mededeling van de rector: 'Voor onbepaalde tijd zal collega Rijnstra niet op school aanwezig zijn. Voor zijn lessen is vervanging gevonden.'

Nog steeds stond hij alleen in de docentenkamer. Hij had nooit echt bij de school behoord. Maar het bleek dat wie ziek was, er ook geen deel meer van uitmaakte.

Vanaf de plaats waar hij stond hield hij de rectorskamer in de gaten. De deur ging open en de rector kwam naar buiten met de bedrijfsarts. In het halletje namen ze afscheid. Op dat moment kwam een jonge vrouw op Onno af, en stelde zich voor.

'Ik ben Olga. U bent meneer Rijnstra, hoor ik net. Ik vervang u. Hoe gaat het toch?' Hij wilde haar onderbreken om te zeggen dat ze elkaar beter konden tutoyeren. Hij kreeg geen kans. 'Hoe was het in het Radboud vanmorgen? Weet u al hoe lang u van school wegblijft?'

Ze zag er knap uit, en toch kon hij zijn afkeer nauwelijks bedwingen. De rector naderde, kwam bij hen staan: 'Zo, jullie hebben elkaar gevonden. Verlost mij van de taak jullie aan elkaar voor te stellen...' Hij wendde zich tot Onno. 'Loop jij zo even mee naar mijn kamer?' Vervolgens werd de schoolleider door verschillende collega's belaagd. Hij stond iedereen te woord. Via de intercom riep de conciërge de rector op: 'Telefoon van het ministerie.'

De bel ging en de docentenkamer liep snel leeg. Onno bleef achter. Na enige tijd riep de rector vanuit de hal en terwijl ze samen naar binnen liepen, ging de telefoon weer. Onno wilde terug de hal in lopen, maar de rector wees hem een fauteuil in zijn kamer aan, terwijl hij de telefoon opnam. Hier had enige jaren geleden een pijnlijk gesprek plaatsgevonden. De moeder van een leerlinge uit de vijfde, met wie hij een verhouding had, wilde de inspectie inschakelen. De rector had het weten te bezweren. Onno had moeten beloven het meisje met rust te laten. Toen de moeder weg was, had de rector hem stevig onderhouden. Onno begreep toch wel dat dit nooit meer mocht voorkomen.

Het was niet meer voorgekomen. Zij was de laatste geweest... Hij had de laatste tijd de klas nog weleens rondgekeken als hij zijn leerlingen aan het werk had gezet. Hij wist wanneer ze verliefd waren: strak keken ze hem dan aan, kregen schattige roze vlekjes in hun hals. Was hun houding veranderd omdat hij vanwege zijn leeftijd koeler, afstandelijker jegens hen was geworden, bang voor teleurstelling?

De rector legde de hoorn neer, vroeg naar de bevindingen vanmorgen in het ziekenhuis. Onno gaf zo precies mogelijk weer wat de arts had gezegd.

'Heel vervelend allemaal. Jij hebt een probleem, dat is duidelijk. Met de bedrijfsarts ben ik van mening dat je er voorlopig uit moet. Je bent snel uit je evenwicht, begrijpelijk. Probeer niet gefixeerd te raken op je taak...'

Even nog dacht Rijnstra: Ik haal, als hij uitgesproken is, triomfantelijk de brief te voorschijn. Hij gaf hem de brief wel, maar hij voelde al dat hij verloren had.

De rector las de brief en zei dat hij het met de bedrijfsarts zou bespreken. 'Ik ben nog steeds bang dat je de situatie te licht opvat. Ik zie je voortdurend in je oog wrijven en dan licht geërgerd kijken. Die pijnsensaties, vandaar dat oogwrijven, en die ergernis over het eenzijdige zien, dat lijkt me veel dieper te gaan dan het zuiver visuele, hè?'

10

Onno kon thuis geen hap door zijn keel krijgen. Hij staarde door het zijraam naar de bloemen. Een vogel vloog op van de nok van een broeikas. Arbeidsongeschikt! Het was maar goed dat vader dat niet meemaakte.

De telefoon ging. Het was de bedrijfsarts. Hij had de brief gelezen. Hij vond het jammer dat het Radboud zich op zijn terrein begaf. Hij, hij alleen maakte uit of iemand arbeidsvalide was. 'Maar dit terzijde. Daar kunt u niets aan doen. Uw situatie is zo al beroerd genoeg. Nu die brief. Die kan maar op één manier worden gelezen. U bent een oog kwijt. Dat is meer dan een arm of een been missen. U ontkent dat er iets met u aan de hand is. Ik begrijp dat wel: ogenschijnlijk is er niets aan u te zien. Feit is, ik zal het woord maar laten vallen, dat u gehandicapt bent. Uw ontkenning is een signaal dat u nog niet eens het rouwproces bent ingegaan. Laat alle verzet varen. Ontspan. Geniet van de vrije tijd. U gaat niet aan het werk! En ik weet heus wel dat ik nu een mijnenveld van gevoeligheden aan het betreden ben. Maar ik heb vaker met dit bijltje gehakt. Ik heb een bepaalde strategie voor ogen. Ja, u wilt mij onderbreken en zeggen: Andere collega's met een bepaalde handicap moeten juist aan het werk, terwijl ze menen niet te kunnen, het Algemeen Burgerlijk Pensioenfonds is veel harder geworden, ten aanzien van ziekteverzuim. In dit geval echter is arbeid – vermoeiende klassikale arbeid – volstrekt uit den boze. Overigens kunt u altijd met mij contact opnemen als u daar behoefte aan heeft.'

Rijnstra hoorde het huis-aan-huisblad op de deurmat vallen. Hij liep de gang in om het op te rapen en zijn oog viel direct op een advertentie van een kwekerij, die een partij primula malacoides op de kop had kunnen tikken. Mallekwiebus, glimlachte Onno.

Zo werden ze in vakkringen altijd genoemd. Zijn vader kweekte ze ook. Bijzondere plant met rozerode bloemen en witbepoederde stengels en bladeren. Die naamsverbastering kon zijn streng gelovige vader niet waarderen. Het was waar dat het een gekweekte plant betrof en niet een door God gegeven soort, met een door de mens bedachte naam, toch gaf het geen pas een plant belachelijk te maken. Onno was het helemaal met zijn vader eens geweest. Hij besloot naar de kwekerij te gaan om enkele exemplaren te kopen.

Het was een kweker waar hij niet zo vaak kwam, maar de eigenaar kende hem wel. De kweker maakte het bekende grapje en zei toen, terwijl hij de primula's inpakte: 'En bevalt het u, alle vrije tijd? Ik kijk zelf ook al uit naar de AOW.'

Onaangenaam getroffen fietste hij de kwekerij af. De man zag hem dus voor gepensioneerd aan, omdat hij bij hem planten kwamen kopen op een moment dat gewone mensen aan het werk waren!

Hij had geen zin om naar huis te gaan en fietste de vallei in, passeerde weilanden, vennen en plassen. Hij stapte af, staarde in het water en toen hij opkeek, zag hij niet ver van zich vandaan een vrouw met groene lieslaarzen aan, die aan de afpaling van een weiland voelde, toen aan een post wrikte. Wat deed die vrouw daar? Boerin die een koe kwijt was, die de afrastering controleerde?

Hij had niets om handen, helemaal niets, en hij wakkerde zijn nieuwsgierigheid aan door zichzelf voor te houden dat die vrouw geen boerin was. Wat dan wel? Hij liep haar kant op, sprak haar aan. Het was een vrouw van ongeveer zestig, met een doordringende blik. Ze vertelde dat ze waarsvrouw was, in dienst van de 'Stichting Geërfden'. Een functie die al van vóór de middeleeuwen stamde. Als een beest uit het weiland was ontsnapt, moest ze het weer 'inscharen'. Ooit was waarsman een belangrijke baan; hij werd aangesteld door vrije boeren die gemeenschappelijke belangen hadden. Nu was het folklore. Zij was waarschijnlijk de eerste vrouw die dit werk deed.

Onno had nog nooit van het beroep gehoord. Dat verbaasde hem, omdat hij zich én voor de middeleeuwen én voor het platteland interesseerde.

Zijn oog begon te schrijnen. Hij wreef erin, maar het pijnlijke gevoel bleef. Het gesprek kwam op zijn aandoening. Ze toonde zich zeer geïnteresseerd. Zij kende iemand die van glaucoom genezen was. Ze zei dat de druppels die hij kreeg misschien wel de hoge oogdruk wegnamen, maar niets aan de oorzaak deden. 'De werkelijke behandeling van glaucoom moet er een zijn van het hele gestel, niet slechts plaatselijk of verzachtend.' Ze had thuis wel literatuur over dit onderwerp. Ze vroeg zijn adres.

11

Enkele dagen later ontving hij een pakje. In de begeleidende brief schreef ze dat ze hem gespannen had gevonden, dat hij erg gejaagd had gesproken. Ze had hem nagekeken. Het was haar opgevallen dat hij heel behoedzaam gelopen had. Ze begreep dat: de man die langs een afgrond loopt, zet zijn voeten zorgvuldig neer. Ze dacht dat hij geen reden had om zo over zijn oog in te zitten. Het glaucoom was in zijn geval misschien al te ver voortgeschreden, maar het loonde de moeite zijn algemene toestand, die tekenen van afmatting en nervositeit vertoonde, te verbeteren door een periode van absolute rust. Met gerede kans dat het goede oog behouden bleef.

Ze had brochures bij gesloten over natuurgeneeswijze, over een zekere Edgar Cayce, een Amerikaans fenomeen dat onder hypnose over universele kennis beschikte, en een boekje van Jakob Lorber, die

Jezus' woorden over genezing inspiratief ontving. Ze eindigde met een passage die hem de hele dag bezighield: 'Glaucoom heeft weinig met het oog te maken, maar alles met een zondig lichaam. Ik bid voor u. Bidt u zelf ook. Al gelooft u misschien niet meer in God of in een leven na de dood, u kunt toch bidden! Wist u dat in Amerika twee van de tien niet-gelovigen dagelijks bidden, al weten ze niet precies tot wie? Met vriendelijke groeten van Attie Brinkhof.'

Het was waar dat hij niet meer geloofde. Hij voelde zich bijna altijd vaag schuldig. Omdat hij zijn vader niet was gevolgd in de wegen des Heren? Omdat hij zich zo weinig inzette voor de mensheid? Onzin dat zijn aandoening boetedoening was. Ja, dat wilde ze hem graag wijsmaken, dat paste mooi in haar theorieën. Liep hij trouwens omzichtig? Hij deed een paar passen in zijn kamer. Ook daar geloofde hij niets van. Maar die zin van 'de man langs de afgrond' vond hij mooi.

Even keek hij in het boekje van Jacob Lorber. '*Zie, wat is eigenlijk de dood van de mens. Niets anders dan het afvallen van de rijpe vrucht van de boom, dat als vanzelf gebeurt...*' Jacob Lorber (1800-1864) noemde zichzelf 'schrijfknecht van God'.

Klonk allemaal erg onorthodox. Als hij wilde geloven zou het op een rechtzinnige manier zijn.

Hij hoorde de kippen luid kakelen en liep de tuin in. Ze stonden om een jonge hen heen die ze tot bloedens toe hadden gepikt. Voer onder het zand harken hielp dus niet, groenvoer aan een touwtje laten bungelen gaf ook niet voldoende afleiding. Er was nog één manier om ze van dat veren pikken af te houden.

Hij reed met de auto naar het abattoir, even buiten het dorp, en haalde er een liter vers bloed. Thuis deed hij de helft in een kom en zette die in het hok. De kippen begonnen hartstochtelijk van het bloed te slurpen en lieten het slachtoffer met rust. Hij keek er met walging naar. Toen ze met drinken ophielden en sloom voor zich uit bleven staren of zich in een kuiltje opzij lieten zakken en zandbaden gingen nemen, wist hij dat deze list geslaagd was. Het overige bloed bewaarde hij in de koelkast. Hij had in zekere zin wel om zijn kippen gegeven. Van dat gevoel was weinig meer over. Misschien moest hij ze maar verkopen. Was er dus toch echt iets met hem aan de hand? Wie hem een week geleden had gezegd dat hij een dezer dagen de kippen van de hand zou doen, zou hij hebben uitgelachen.

Uit de keukenla haalde hij een bot mesje en hij begon het gras tussen de tegels weg te halen. Daar was hij uren mee bezig.

's Avonds ging hij naar oom Karel. De stem van oom was zwak. Hij had ook geen trek in een sigaret, voor het eerst van zijn leven, voor zover hij zich herinneren kon. Op zijn brief had hij geen antwoord gekregen. Hij had een nieuwe geschreven en de derving van inkomsten nauwkeuriger berekend. Zes miljard eiste hij van de Nederlandse regering. Geen cent minder. Koopje.

Hij schonk thee met zijn fijne gebaartjes, deed er het vingerhoedje rum en een wolkje melk bij. De fontein in de achtertuin, die tot vorige week in de steigers had gestaan, maakte een traag, plonzend geluid.

Oom legde het goudmonster op tafel dat hij in een van de kwartsgangen van de Boelangsi-vallei had gevonden. Hij toonde zijn neef de concessie-akten die nog tot aan het eind van deze eeuw doorliepen. Hij keek naar het document of het een levend ding was. Hij vroeg Onno om uit de boekenkast *The History of Sumatra* te pakken, eerste druk 1783. Het boek was kromgetrokken van hitte en vocht. Op tientallen plaatsen had hij tussen de bladzijden witte papiertjes gestoken.

Zijn neef legde het dikke boek voor hem neer en oom Karel sloeg het open. Maar hij keek er niet in en begon te vertellen: 'Volgens *The History of Sumatra* is de legendarische goudberg de Goentang-Maha-Meroe. Volgens de schrijver van dit boek werd die berg aan de kust "Goenong-Ledang" genoemd. De W. Marsdan die dat geschreven heeft moet dat verkeerd verstaan hebben, want "Ledang" betekent niets. "Gedang" wel. "Goenong-Gedang" is Grote Berg...'

Zijn stem was bijna onhoorbaar geworden. Oom wilde het stuk erts optillen, maar zijn handen hadden geen kracht meer. Onno hield het vlak voor hem. Het fonkelde als toen hij het gevonden had en het zou nog miljoenen jaren die glans verspreiden. Oom Karel zag het niet meer. Hij had zijn ogen gesloten. Onno droeg hem naar zijn bed en waarschuwde de ziekenafdeling van het tehuis.

De arts stelde vast dat meneer Horsting niets mankeerde. Maar hij was nu eenmaal hoogbejaard. Onno bleef die nacht bij hem, vergat zijn oog, zijn school. In de vroege ochtend ging hij naar huis om de hond uit te laten en de kippen te voeren. Hij was nog niet thuis of hij kreeg een telefoontje van Mooiland. Oom was zojuist gestorven.

12

Oom Karel liet Onno al zijn bezittingen na. Ook had hij hem als enige opvolger aangewezen om de NV Sumatra's Goudmijn te leiden. De notaris die hem dat meedeelde, glimlachte minzaam.

'U weet net zo goed als ik dat die concessie-akten en dergelijke, hoe officieel ze er ook uitzien met hun rode lakzegels en handtekeningen van de assistent-resident van Solok, absoluut zonder waarde zijn.' Onno wist dat het scheurpapier was, maar hij zou ze koesteren.

Hij ontruimde ooms kamer in Mooiland, bracht alle bezittingen over naar zijn eigen huis, richtte de voorkamer, waar zijn vader was gestorven, in als directiekamer, plaatste daar de lange tafel en de met groen leer beklede stoelen.

Daarna wijdde hij zich aan de ordening van ooms documenten. Hij vergat oog, school, Attie Brinkhof de waarsvrouw.

De telefoon ging over. Hij wilde eerst niet opnemen, bang dat het de bedrijfsarts of zijn vervangster op school zou zijn. Het was Attie Brinkhof. Ze was bezorgd, wilde graag langskomen. Hij schrok, wilde niemand in huis hebben. Hij had daar een goede reden voor en vertelde van ooms plotselinge dood, de beslommeringen...

'We zien elkaar heus nog wel,' zei hij, 'maar niet nu.' Ze vroeg of ze nog eens mocht schrijven. Ze kon hem misschien helpen. Natuurlijk mocht ze schrijven... Ze had ook een plannetje. Het komende weekend was er in de Rijnhallen een Gezondheidsbeurs.

'Er zal dan ook een tafel met alle boeken van Jacob Lorber zijn.' Het was in geen boekhandel of bibliotheek mogelijk al zijn boeken te bekijken, maar hier dus wel. Stand veertig. 'Zullen we daar samen...?'

'Echt niet. Er is zoveel te regelen.' Hij ging steeds vlugger praten.

Ze merkte op dat hij weer zo gejaagd was.

Snel maakte hij een eind aan het gesprek. Het zweet stond hem op het voorhoofd. Van de wijs gebracht kon hij niet langer rustig in ooms papieren lezen en ging naast zijn voordeur het bordje 'NV Sumatra's Goudmijn' bevestigen. 's Avonds was Onno weer rustig genoeg om foto's te bekijken. Foto's van goudhoudend grind op een berghelling, van ertspuin in de Boelangsi-vallei, van oom bij de ingang van een schacht. Hij staarde naar de tuin waar de regen viel. De zinnia's begonnen al in het hart te spochten, de malva's lieten hun kopjes hangen. Hij droomde dat hij op de terreinen van de vennootschap rondliep.

Onno ging de kippen voeren. Het was opvallend stil in het hok. Dichterbij gekomen zag hij ze in een kluitje bij een doodgepikte hen staan. Hij wist wel dat kippen wrede beesten zijn, maar nu van zo nabij kon hij dat slecht verdragen. Op slag gaf hij niets meer om ze en wilde ze kwijt. Hij mocht ze bij een boer in de omtrek brengen. Daar konden ze vrij rondlopen.

Diezelfde week kreeg zijn hond grote eetlust en vermagerde zienderogen. Misschien was het een lintworm. Nauwelijks verontrust ging hij met haar naar de dierenarts, die na enig onderzoek een tumor constateerde. Het was beter haar daar te laten. Het zou hun beiden veel leed besparen. Daar wou hij niets van weten. Hij hield de hond nog meer dan een maand thuis, verwende haar zoveel mogelijk, liet haar in zijn bed slapen, koesterde haar tot ze op een dag zacht begon te janken. Bij de dierenarts stierf ze op zijn schoot.

Door deze opeenvolgende gebeurtenissen was hij

onrustig geworden. Hij liep hard, stond stil om zijn hartfrequentie op te meten. Honderdzestig slagen per minuut. Zijn gezondheid was optimaal. Hij maakte lange fietstochten, ging in een ander dorp op de dorpsbank zitten, voelde zich een idioot en ging naar huis.

Er was post van Attie. De derde brief in één week. Ze bestookte hem met brieven. Vol aanwijzingen over de natuurgeneeswijze die hij zou moeten toepassen. Zij had geen vertrouwen in de medische wetenschap. Ze veronderstelde zelfs dat zijn glaucoom waarschijnlijk een cataract was.

Thuis was alles op orde. In de herfsttuin kon hij niet veel uitrichten. De dahlia's bloeiden nog volop. Het was zonde die er nu al uit te halen.

Zonder directe reden, als in een impuls, belde hij de GGD aan de Stationsweg en maakte een afspraak met de bedrijfsarts.

'Overmorgen om drie uur. Het is erg druk. Of wilt u liever eerder?'

Hij had geen haast, begreep zelf niet eens waarom hij contact zocht.

13

De arts liet hem binnen. Er was ook een stagiaire.

'Laat ik eerst zelf zeggen,' zo begon hij, 'voor u het woord krijgt, dat meneer Rijnstra aan het begin van het schooljaar plotseling niets meer zag met zijn rechteroog. Er werd glaucoom vastgesteld in irreversibel stadium. Vanaf die tijd geeft meneer Rijnstra geen les.' En: 'Hoe gaat het met u? Hebt u het idee dat het verwerkingsproces voldoende snel gaat? Stoort het oog u nog? En indien niet, hoe zou dat komen?'

Onno dacht: Hoe heb ik zo stom kunnen zijn om een afspraak te maken? Ik wil hier zo gauw mogelijk weg. Ik kan op zijn vragen geen antwoord geven, maar ik zal zo gewoon mogelijk proberen te doen... En hij vertelde dat zijn oom was overleden, dat hij nu directeur van NV Sumatra's Goudmijn was. Hij vertelde natuurlijk niet dat die vennootschap nog slechts een dode instelling was. Daar hadden ze niets mee te maken.

'Overigens gaat het wel goed,' merkte hij nog op. De arts en de stagiaire maakten aantekeningen, keken elkaar snel aan. De arts vroeg toen hoe hij zichzelf in het arbeidsveld zag.

Onno zweeg. Hij kon die vraag onmogelijk beantwoorden. De twee achter de tafel schreven.

'Ik heb de indruk,' zei de arts, 'dat medisch gezien al het nodige gedaan is, al verwacht ik nog wel een laserbehandeling om de druk van het slechte oog definitief omlaag te halen. Maar is in psychologische zin alles gedaan? Het antwoord is simpel. Er is nog niets gedaan. U kwam hier zojuist vrij gehaast naar binnen, u struikelde bijna over uw eigen voeten. Ik proefde daarin camouflage van de door u zo gewenste omzichtigheid.'

Onno keek hem verbijsterd aan.

'Ik zal proberen duidelijker te zijn,' vervolgde de arts. 'Hoewel ik van een universitair geschoold docent... Ik zie dat op dit moment uw zieke oog traant. U wilt die tranen wegwrijven, maar u bent bang dat ik dat zal zien en zal interpreteren als: nou, nou, die is ook flink gefixeerd op dat oog. Ik kan me ook voorstellen dat u soms denkt: Was dat rechteroog maar helemaal dood. Nu zit er nog een greintje licht in. Dat oog wil meedoen, maar het kan niet. Heel, heel vervelend. Wat u de hele dag met dat oog aan het doen bent? Trachten om door matglas te turen. Doodvermoeiend. Ik heb een voorstel. Mag ik namens u een gesprek aanvragen met een deskundige van de RIAGG? Ik zou zo graag eens van hem willen weten wat hij van uw preoccupatie met uw oog denkt.'

Onno zei dat hij niet zo vaak aan zijn oog dacht. Er waren dagen dat hij...

'Ik heb een paar dagen geleden een duurloopje van acht kilometer gedaan. Kostte me geen enkele moeite. Veel collega's van mij zijn niet in staat om zonder zwaar gehijg de trap naar de eerste verdieping op te lopen.'

'U vindt zichzelf gezonder dan ik objectief vaststel. U ziet die psychische factor over het hoofd. Heeft Vestdijk in een van zijn romans, maar misschien weet u dat beter dan ik, niet gezegd dat het oog een psychisch orgaan is, symbolisch geladen? Wist u dat we nog maar heel weinig weten van de subjectieve beleving van ziek-zijn, van gezond-zijn, dat de grens tussen die twee steeds vager wordt? Er worden mensen ziek verklaard die het niet zijn en er worden mensen gezond genoemd die iets mankeren. U heeft een ernstige ziekte...'

Twee, drie tellen gingen voorbij in doodse stilte. In die paar korte momenten probeerde Rijnstra zijn woede terug te dringen. Hij slikte, had zich in bedwang.

'Meneer,' zei hij, 'mijn vader was een kleine middenstander, die als hij ziek was geen inkomsten had. Hij werkte dus altijd. Ook als hij hoge koorts had of spit. Ik ben niet ziek en u schenkt mij een volledig salaris, op een presenteerblaadje. Dat wil ik niet.' Hij ging staan om meer lucht te krijgen. 'Niet mijn oog maakt me ziek, noch mijn werk, noch mijn arbeidsomstandigheden. U maakt mij ziek en ik ga niet naar huis voordat ik toestemming krijg om weer aan het werk te gaan.'

Heel even maar keek de arts gegeneerd opzij. Hij vouwde toen zijn handen ineen: 'U bent iemand die hoge eisen aan het leven stelt...'

'Ik wil slechts een paar uur les geven,' onderbrak Rijnstra hem. 'Meer niet.'

De arts boog zich over de tafel, bijna vertrouwelijk, in zijn richting, een glimlach om zijn lippen. Toen vertrok dat gezicht even. Kennelijk kostte het hem enige inspanning om zijn gedachten te formuleren. Hij zei: 'U zult mij niet geloven, maar weet u dat ik blij ben met deze explosie. Misschien is een psycholoog ook niet nodig. Ik heb een idee. U gaat het op school proberen. Wat vindt u ervan als ik u op zes uur zet?' Hij maakte een aantekening. 'Zo, zes uur, daar kunnen dan geen misverstanden over ontstaan. Ik waarschuw de school. Wat mij betreft kunt u morgen beginnen.'

14

Toen hij na het bezoek aan de Stationsweg zijn straat in fietste zag hij Attie Brinkhof op de stoep staan. Snel keerde hij om en racete over zijn stuur gebogen weg.

'Dan ga ik naar school,' zei hij tegen zichzelf, 'om met de rector te overleggen.' Hij zou heel graag zijn HAVO examenklas en vijf atheneum terug willen. Dat was samen zeven uur. Vanzelfsprekend zou hij ook zeven uur mogen werken.

De rector was al op de hoogte gebracht.

'Zo, je wilt het dus toch maar eens proberen? Vijf HAVO en vijf atheneum. Dat is een mogelijkheid. Nee, tegen die zeven uur zal geen bezwaar bestaan. Olga, je vervangster, zal het geen prettige boodschap vinden. Die had zich al lekker ingewerkt, hoor ik van mijn conrectoren, en met de klassen een aardige band opgebouwd. Zij ontvangt zelfs haar klassen thuis. Ik zal het met haar bespreken...'

Onno stond op. De rector keek aandachtig naar zijn slechte oog.

'Maar nu zie ik het... Je keek me aan, maar alleen met links, je rechter dwaalde... Nou, sterkte, ik hoop dat het goed gaat. Ik ben blij voor je dat alles toch een positieve wending gaat nemen en zo snel al...'

In de geheel lege docentenkamer dronk hij koffie, keek om zich heen, bladerde in het tijdschrift *Didactief* om weer aan de sfeer te wennen. Hij had de sensatie jaren te zijn weggeweest.

De bel ging. De laatste les was afgelopen. Olga kwam direct op hem af: 'Hoe gaat het met je? Vertel over je oog. Ik wil er alles van weten.'

Hij dacht: Ze hoopt dat ik hier nooit meer terugkom.

'Och, met mijn oog is het nog hetzelfde. Dat zal ook wel niet beter worden.'

'En wat zegt de bedrijfsarts? Blijf je voorlopig thuis?'

Hij zei dat hij zeven uur les ging geven en dat hij haar twee hoogste klassen weer zou overnemen.

Onno zag haar teleurstelling. Hij kon zich in haar verplaatsen. Maar er zouden genoeg uren voor haar overblijven. Intussen zou ze op zijn definitieve instorting wachten. Maar die zou niet komen, dat beloofde hij zichzelf.

De conrector overhandigde hem een noodrooster. Hij had morgen al het vierde en het zesde uur les.

15

De volgende morgen ging om halftwaalf de telefoon. Onno was bezig zijn les voor te bereiden.

Zonder nadenken nam hij op, zei zijn naam. Hij dacht direct: Dat had ik niet moeten doen. Misschien is het Attie wel.

Het was de conrector. 'Je klas wacht. Het vierde uur begint om tien voor half twaalf. Het is te merken dat je er een tijd uit bent geweest. Ik heb de klas zolang naar de kantine gestuurd. Kom zo gauw mogelijk hierheen!'

Hoe kon hem dat nou overkomen! Hij wist dat hij het vierde uur les moest geven en hij wist de aanvangstijd. Hoe kon hij zich dan toch vergissen? Een halfuur geleden had hij nog overwogen wat eerder naar school te gaan om kopieën van een Franse tekst te maken.

Binnen vijf minuten was hij op school, holde de gang in naar de leerlingenkantine.

Enthousiast waren ze niet toen ze hem zagen, en nauwelijks genegen met hem mee naar het lokaal te gaan. Ten slotte zaten ze. Niet eerder had hij in zijn loopbaan meegemaakt dat leerlingen zo traineerden. Hij liet ze het literatuurboek voor zich nemen. Dat gaf veel onrust. Olga, zeiden ze, werkte nooit uit het boek. Van haar kregen ze altijd stencils. Was dit nou de aardige klas waar hij zo naar had uitgekeken? Hij kende ze niet meer terug. Ten slotte was er na veel geroezemoes een boek voor iedere twee leerlingen. Hij gaf een beurt, geïrriteerd. Het meisje zei dat ze de tekst niet lezen kon.

'Je kunt toch kijken!' viel hij uit.

'Die rode lettertjes op blauw zijn niet te lezen,' zei ze. In zijn hart was hij het met haar eens. Hem ergerde de moderne kleurenrijkdom van dit nieuwe leerboek ook.

'Dan heb ik liever dat je eruit gaat,' zei Rijnstra. Ze stond op, liep hautain op haar lange benen langs hem heen en toen ze bij de deur was, zei hij: 'Sorry, ga maar weer zitten.'

'Nee, ik ga eruit. U was onredelijk.'

'Je mag weer gaan zitten.' Hij smeekte bijna. Ze aarzelde even en verliet toen de klas.

Twee dagen later werd hem gevraagd of hij wegens ziekte van een collega een extra uur wilde surveilleren bij een gecoördineerde repetitie Nederlands. Tekstverklaring.

De andere surveillant was een collega met wie hij nog nooit een woord had gewisseld.

Onno liep langs de rijen. Er zaten leerlingen bij die hij van vorige jaren kende. Tegen sommige knipoogde hij even, gaf een bemoedigend tikje tegen de schouder of fluisterde: 'Sterkte hoor.'

Na een tijdje kwam de andere surveillant op hem af, nam hem terzijde en vroeg hem niet zoveel te lopen en zeker niet meer iemand aan te spreken.

'Dat stoort erg.'

In zijn wiek geschoten bleef hij tussen de rijen door lopen. Dat had hij altijd gedaan en dat deden de meesten van zijn collega's. Wat verbeeldde die vent zich wel? Het was toch geen officieel examen? En dan nog was het niet verboden!

Hij bleef bij een meisje staan en las over haar schouder de tekst mee. Hij zag dat ze een moeilijk woord had onderstreept. Narcistisch. Ze had er een serie vraagtekentjes omheen gezet. Hij zou haar de betekenis zeggen. Het meisje zou hem er dankbaar voor zijn. Nee, hij zou niets zeggen, want het was hem verboden zijn mond open te doen.

Hij schreef de betekenis van het woord op haar opgave. Zijn collega stond al naast hem.

16

'We zijn toch echt te vlug geweest. Ik heb voor u een afspraak gemaakt met een psycholoog van de RIAGG. Ik waardeer het dat u meewerkt. Dit is de enige weg die ons overblijft. Ik zit,' zei de bedrijfsarts, 'tussen twee vuren. Voor de school bent u een financiële belasting. Zij moeten vervangend personeel zelf betalen. De school wil dus niets liever dan dat ik een keuring bij het Pensioenfonds aanvraag. Als u door het ABP wordt afgekeurd, geheel of gedeeltelijk, komt u niet meer voor rekening van de school. Maar het ABP keert niet zomaar uit. Ik moet mijn dossier opbouwen, dik maken. Daar hoort zeker bij dat u een deskundige van de RIAGG raadpleegt. Zullen we het vandaag hierbij laten? Die zes uren, de school had er al zeven van gemaakt, wat ik al te veel vind, zijn nu van de baan. Zet die school van u af!'

Hij stond op om Rijnstra een hand te geven en naar de deur te begeleiden.

'Dus over drie weken, er is niet eerder gelegenheid, gaat u naar de RIAGG. Dan zitten we al bijna in december. Zit daar nog een afspraak met het Radboud voor?'

'Morgenvroeg ga ik naar het Radboud,' zei Onno.

'Nou, mooier kan het niet. Wat daar uit komt, kan dan meegenomen worden naar de RIAGG.'

Tijdens de woorden van de bedrijfsarts had Onno langs hem heen naar buiten gestaard en zich voorgesteld hoe oom Karel vóór de oorlog langs een van de oude karavaanwegen vanaf de kust de Pantoean-vallei was binnengedrongen. Toen oom in opdracht van het Nederlandse gouvernement de goudmijn vernietigde, had hij het al voorradige goudconcentraat begraven en was het oerwoud in gevlucht omdat de Japanners op zulke sabotagedaden de doodstraf hadden gezet. Van de plaatsen waar het goud begraven was bezat Onno als enige op de wereld detailkaarten. Oom geloofde niet dat Indonesië de goudmijn exploiteerde. Nee, dat zouden ze niet durven, had hij eens tegen Onno gezegd: 'Dan zou ik beslag op die installaties en op de Bank Indonesia in Amsterdam laten leggen. Ik heb tenslotte het recht aan mijn kant. Desnoods breng ik de zaak voor de VN. Het staat vast dat ik dan win, om de eenvoudige reden dat ik gelijk heb. Mocht ik komen te overlijden, dan zal de NV die rechten opeisen, want ik laat instructies achter. De NV Sumatra's Goudmijn zal langer bestaan dan de Indonesische regering.'

Op weg naar huis glimlachte Onno Rijnstra. Het was de moeite waard daar eens te gaan kijken. Ondanks kaarten en foto's kon hij zich toch moeilijk een beeld van de situatie vormen. Waarom zou hij nu niet al stappen ondernemen om bij de ambassade een visum aan te vragen?

Voorzichtig naderde hij zijn huis. Attie stond niet

op de stoep. Thuis pakte hij zijn zwemspullen, en in het zwembad maakte hij een serie perfecte salto's achterover. Hij draaide hoog boven de plank en kwam rechtstandig in het water.

'Hé, ouwe,' riepen een paar jongens, maar er klonk bewondering in door. Ze durfden zelf alleen maar bommetjes te maken. Zijn lef, zijn conditie waren optimaal.

Na het zwemmen belde hij met de Indonesische ambassade. Daarna ging hij naar de fotograaf om pasfoto's te laten maken. Hij was druk.

17

De volgende dag meldde hij zich bij de balie van het Radboud, toen bij de verdeelpost. Hij hoefde slechts even te wachten. Aan de muur hing een kartonnen plaat: 'Waarom zou u als blinde voor het isolement kiezen?' Dilemma dat hem niet aanging. Hij koos voor een lange reis naar het Verre Oosten.

Hij werd binnengeroepen. Er waren dit keer geen studenten. De arts mat zijn oogdruk. Die was iets opgelopen. Ook zijn goede oog was vandaag een tikkeltje aan de hoge kant.

Of hij zich ergens druk over had gemaakt?

'Niet dat ik weet...'

'Maar de druk mag variabel zijn, moet dat zelfs zijn. Het lijkt me goed dat we voor het slechte oog vandaag nog overgaan tot een laserbehandeling. Dat zal een collega van mij doen. Ik maak voor u een afspraak. Na de behandeling zie ik u terug en meten we de druk opnieuw. Ik verwacht dat door de behandeling van het rechteroog de druk van het linker ook iets lager zal worden, al weten we niet hoe de relatie tussen de beide ogen van een mens is. Zou ik daarachter komen, dan zou ik direct de Nobelprijs winnen.'

Onno vroeg of er gaatjes in zijn oog werden geschoten.

'Zoiets denken mensen altijd. Nee, de lichtflitsjes, eigenlijk lichtdeeltjes met heel veel energie, die geen warmte afgeven· zodat ze weefsel zouden kunnen verschroeien, verwijden de oogvaten. Wij zijn het enige ziekenhuis in dit land dat een excimer-laser heeft. U bent in goede handen. U klaagde laatst toch ook over reukverlies? Slaagt deze behandeling, dan bent u van alle oogdruppels af. Vies spul, gevaarlijker dan we allemaal denken.'

De laserafdeling verwachtte hem. Een verpleegster gaf hem een verdovingsdruppel en plaatste een contactglaasje in zijn oog. De lampen werden uitgedaan. Een arts nam in de duisternis achter het toestel plaats.

Onno zei dat hij wel een beetje bang was.

'U kijkt toch ook naar horrorfilms,' was het antwoord.

'Nooit.'

'Iris met veel pigment,' mompelde de arts, 'uitgevloeid pigment, maar veel. Dat is gunstig.'

Onno zag groene flitsjes, voelde tikjes tegen zijn oogbol. Hij mocht na twee minuten vertrekken. Zijn oog schrijnde. Het was bloeddoorlopen, want er waren adertjes gesprongen.

Zijn eigen arts wachtte hem op en mat de oogdruk. Die was opgelopen tot vijfendertig. Dat was normaal. Na een laser liep de druk eerst flink op. Vanavond zou hij op vijftien zitten en waarschijnlijk definitief. Hij kreeg druppels mee tegen ontsteking. Decadron. Morgen moest hij terugkomen.

De volgende dag was de druk gedaald tot vijftien. Ook in zijn goede linkeroog was de druk weer normaal.

'Mooi, heel mooi. Een tweede behandeling is niet meer nodig. De druppels halen we eraf.'

Rijnstra zei dat hij gisteravond in de tuin had gelopen. 'Ik dekte met mijn hand mijn goede oog af en ik kon de vingers van mijn hand tellen.'

'Nee, nee, u ziet niets, dat zijn herinneringsbeelden, een cognitief weten.' Hij bladerde in het dossier. 'Precies waar de zenuwvezels van het netvlies het oog verlaten en overgaan in de oogzenuw is onherstelbare schade aangebracht.' Hij bladerde nog een hele tijd, las half hardop wat nu alle uitkomsten waren. De chef de clinique kwam binnenlopen, boog zich over het dossier en zei: 'Het beleid is als volgt. Aan het goede oog doen we niets. De druk daarvan is prachtig. We kunnen dat goede oog wel elke dag gaan controleren, maar er is geen reden om daar neurotisch over te doen. Dat oog is, door zijn afwijkende anatomie, haast het oog van een andere persoon. Wat wij noemen een volstrekt beheersbaar oog. Het loopt nu tegen december. Ik zou zeggen: wij zien u over een halfjaar terug.'

Het behandelde oog deed nog dagen pijn. Hij hield het gesloten als hij in *The History of Sumatra* las en vergat het.

18

Onno Rijnstra ontving deze brief van de RIAGG.

Geachte Heer,
N.a.v. uw verzoek om therapeutische hulp nodig ik u uit voor een gesprek op drie december. U vindt hierbij een machtingsformulier om met uw toestemming informatie op te kunnen vragen bij huisarts en andere instanties. Wilt u dit zo spoedig mogelijk ingevuld aan ons terugzenden?

Snellen, Klinisch psycholoog

19

Onno ontving deze brief een dag na Sinterklaas.

Geachte Heer,
U bent niet op de afgesproken datum verschenen. Noch ontvingen wij van u een ingevuld formulier. Wij verwachten u nu op maandag zeven december om drie uur precies.

Snellen droeg een legergroen overhemd. Ook zijn broek, schoenen en stropdas waren groen. Hij stelde hem eerst aan zijn twee stagiaires voor. Ze zaten in een piepklein kamertje.

'Waarom u niet op de afspraak verschenen bent enzovoort zal ik u niet vragen...'

‘Ik was het vergeten,’ onderbrak Onno hem.

‘U zult wel willen weten wat het verschil is tussen een psycholoog en een psychiater. Die vraag komt vroeg of laat altijd. En hij is niet onbelangrijk. Stel dat een patiënt bang is voor wespen. Om die angst weg te nemen zal een psycholoog die angst analyseren. Een psychiater echter zal die angst accepteren als een gegeven, zal proberen de patiënt zover te krijgen dat hij erin berust en hem leren zich tegen wespen te verweren. Nu de eerste vraag die ik u zal stellen en die u wat gek in de oren zal klinken: Bent u uit uzelf gekomen of bent u gestuurd?’

Onno zei dat hij die vraag helemaal niet zo gek vond, dat zijn bedrijfsarts hem dit had geadviseerd, dat hij zich eerst had verzet omdat hij zich niet psychisch ziek voelde...

‘Wat verwacht u van ons?’

Hij wist geen antwoord. ‘Ik kan slechts zeggen dat ik nooit had kunnen denken hier ooit terecht te komen.’

‘Daarin staat u niet alleen.’

‘Vreemd dat ik mij in het gebouw van de RIAGG bevind, dat ik met u aan het praten ben...’

‘Kunt u iets zeggen over uw sociaal ingebed zijn?’

Onno zweeg. Daar viel weinig over te vertellen.

'U bent plotseling aan één oog blind geworden. Hoe ging dat in zijn werk? Kunt u dat voor ons zo nauwkeurig mogelijk beschrijven?'

Dit was een normale vraag. Onno ging er zo uitgebreid mogelijk op in, vertelde dat hij aan het hardlopen was geweest, langs de spoordijk, met zijn hond, dat hij toen tegen een afscheidingspaaltje liep, dat hij op dat moment besefte dat er iets met zijn oog aan de hand was, dat hij...

'Ja, zegt u het maar gerust, u besefte toen dat u gehandicapt was, dat u invalideerde...'

Onno zweeg. Dat besef had hij nog steeds niet.

'Bent u bang voor de dood?'

'Ik word weleens wakker 's nachts en denk: Eens ben ik er niet meer. Soms verstijf ik dan van schrik.'

'U ziet het leven als een eilandje te midden van allemaal dood?'

Dat had hij niet gezegd.

Hij bleef zwijgen.

'U wrijft regelmatig in uw oog en raakt de desbetreffende gezichtsregio veelvuldig aan. Daarmee benadeelt u zichzelf. Ik bedoel die preoccupatie met uw oog... Iemand die een been kwijt is, voelt er nog pijn in. Die pijn is voorgeprogrammeerd in zijn hoofd. Ik zou u een opdracht willen meegeven. Wilt u bij uzelf eens nagaan wanneer u aan uw oog dingen voelt die er in werkelijkheid niet zijn. En die registraties zo nauwkeurig, bijna als een schrijver zou ik willen zeggen, opschrijven.'

'U denkt dat ik komedie speel?'

'Ik wil dat u zich extra sterk met uw oog gaat bezighouden. Dan bestaat de kans dat u van die preoccupatie afkomt. Alles registreren, zo precies mogelijk. Over enkele weken wil ik u terugzien, nog vóór de kerstvakantie. Dan beslissen we over behandeling. Ik denk overigens wel dat u behandeling nodig hebt. Maar dat is uw beslissing. Riante situatie, hè? Daarin verkeren niet zoveel patiënten.'

20

De volgende dag werd nachtvorst voorspeld. Onno bracht de hele dag in zijn tuin door, sneed de stengels van de dahlia's en bracht de knollen naar de kelder. Hij spitte, verzette planten, scheurde ze, omwikkelde de tere stamrozen met stro. Aan het einde van de dag was de tuin voor de winter gereed.

Hij waste zijn handen, toen de telefoon ging. Het was het reisbureau. Zijn ticket lag klaar. Men was tot zes uur open.

Hij kon niet wachten tot morgen en ging zijn reisbescheiden halen. Enkele reis Amsterdam-Jakarta-Padang. Vertrektijd 11.20 uur. Donderdag zeventien december. Het meisje gaf hem folders van Sumatra. Al in het reisbureau bekeek hij ze. Mooie plaatjes van de tropische jungle, de imposante bergketens, het idyllische Tobameer, de Minang-Kabause cultuur. Hij glimlachte, bijna verheerlijkt. Niemand kende zijn bestemming. Hij wreef even in zijn goede oog. Het stak een beetje.

Hij haalde de nodige inentingen.

Een dag voor zijn vertrek kreeg hij een telefonische oproep van zijn bedrijfsarts, en hij fietste 's middags rustig naar de Stationsweg, onder een heldere hemel. Het zou die nacht zeker gaan vriezen.

De arts had het rapport van de psycholoog ontvangen. Het was razend druk voor Kerstmis en hij had vanmiddag nog een gaatje gevonden om het met hem te bespreken.

'Aardig van u,' zei Onno.

'Ik zal u een passage uit het rapport voorlezen: Patiënt is door oogtrauma duidelijk geschokt. De angst die daarbij wordt gegenereerd fixeert patiënt op fysieke sensaties. Vage pijn in zijn rechteroog. Arbeidshervatting als zodanig zal zeker een negatief effect hebben en niet bijdragen tot angstreductie. Behandeling zal veel tijd vergen. Patiënt heeft beloofd zijn gewaarwordingen te registreren.'

De arts richtte zich tot Onno. 'Met die laatste zin ben ik blij, dat begrijpt u. Mijn werk is laveren, meneer Rijnstra, laveren. Ik heb te maken met u, met de mensen die boven mij gesteld zijn, met de school, met het ABP.' Hij wachtte even. 'Met de maatschappij. Ik moet maatwerk leveren. Dat maakt mijn werk zo boeiend. Anders donder ik mijn eigen glazen in en die van veel anderen. Ook die van u. Ik stel voor dat we elkaar dit kalenderjaar met rust laten en het hele probleem naar het volgende jaar tillen. U krijgt bericht van mij. Ik wens u een goede kerst en een goed uiteinde.'

Om halfelf checkte hij in, knipperend met zijn linkeroog, dat zacht schrijnde. Hij betrad het vliegtuig en ineens leek het of iemand met een zwarte doek dat oog afdekte. Hij botste tegen iemand op, wilde zich excuseren, maar er kwamen geen woorden uit zijn mond. Onno Rijnstra kon niets onderscheiden. Een stewardess leidde hem naar zijn plaats.

Intercom

Sinds de komst van zijn nieuwe collega kwam het vaker voor dat Bennie Peters (ongetrouwd, vijfenveertig jaar) in het weekend de conciërge-loge opende en de intercom in werking stelde. Speedy Gonzales, zijn hond, ging altijd mee en mocht door de gangen rennen.

Na een blik op de monitors te hebben geworpen die de fietsenkelders en garderobes 'bewaakten', maar die nu niet aan stonden, ging Bennie aan de werktafel van geboend eikenhout zitten, haalde de microfoon naar zich toe en begon, met één hand op het toetsenbord, de andere op tafel, berichten om te roepen: 'Willen de volgende leerlingen zich bij conrector Minkman melden? De ploegen voor het interscholaire handbaltoernooi moeten uiterlijk voor het einde van de week zijn samengesteld. De zeilweek van drie atheneum gaat voorlopig niet door...'

Hij liet zijn stem dalen en rijzen, veroorzaakte speciale effecten door zijn lippen tegen de microfoon te houden of er juist heel ver vandaan. Hij speelde met zijn stem, die in het lege schoolgebouw wel hol, maar toch heel zelfverzekerd klonk.

Nog meer plezier ondervond hij als hij zomaar wat bedacht: 'Speedy Gonzales is de mooiste, de liefste, de snelste hond ter wereld.' Dan kwam de hond altijd direct op de conciërgekamer af gedraafd omdat hij zijn naam hoorde noemen. Als hij zo bezig was, werden de omroepberichten steeds gekker: 'In dit land is Ben Peters de conciërge met de helderste stem.' Of: 'Mijn nieuwe collega, Wulf Teubner, is een lawaaiige opschepper.' Hij schreeuwde het door de school, schaterlachte, schakelde de intercom uit, sloot de hond in zijn armen die kwispelstaartend was binnengekomen.

Ben hield van zijn hond, van zijn baan; hij was vooral gek op omroepen, juist omdat hij daar zo tegen had opgezien bij zijn benoeming heel veel jaren geleden. Maar hij had al gauw pluimpjes gekregen: hij sprak rustig en duidelijk.

Als hij in het weekend eenmaal op school was, had hij moeite om weer weg te gaan. Hij ontsloot een berghok dat alleen toegankelijk was via de conciërge-loge. Het was een raamloos, hoog vertrek, waar op schappen kopieerpapier, enveloppen en verloren voorwerpen lagen. In een hoek stond een platte, groengeverfde geldkist. Peters beheerde hiervan de sleutel.

Hij legde wat dingen recht, keek of er alweer absentenbriefjes moesten worden bijgemaakt, controleerde het geld. Daarna sloot hij alles af, maakte nog een ronde door de school, terwijl de hond voor hem uit rende.

Op de hoogste etage bleef hij een tijdje voor het raam van een lokaal staan, de handen gekruist op zijn rug, zijn voorhoofd tegen de ruit. Een geliefkoosde houding van Bennie Peters. Zo stond hij als kind voor het raam van de huiskamer. Als zijn moeder hem in die houding verraste, sloot hij zijn ogen en wachtte tot zij hem weg zou trekken. Als hij sporen op de ruit achterliet, kreeg hij een reprimande.

Hij keek over het stadje, het marktplein, de winkelstraat, de woonwijken; verder weg het industrieterrein, een spoordijk. Hij probeerde zijn eigen huis te ontwaren, net buiten de bebouwde kom. Meer dan zes jaar was hij de enige conciërge op school geweest. Hij had zijn werk steeds goed aangekund en men had nooit vergeefs een beroep op hem gedaan als hij bij vergaderingen 's avonds aanwezig had moeten zijn. Maar de school was gegroeid en had nu recht op twee conciërges. Wulf Teubner was met ingang van het nieuwe schooljaar benoemd. Het was nu januari. Ze zouden tijd nodig hebben om aan elkaar te wennen. Het zou zeker lukken. Aan Bennie Peters zou het niet liggen.

Hij verwijderde zich van het raam, liet een breed spoor achter dat hij met een kort, snel gebaar uitveegde.

'Kom Speedy.'

De hond, die naast hem was gaan zitten, stond in twee bewegingen op.

Peters liep door de lege straten van het centrum en was binnen vijf minuten buiten de bebouwde kom. Hij passeerde een melkfabriek met zijn hoge aluminium silo's, volgde een smalle, uitgeslepen weg omhoog naar de spoordijk. Daar liep, tussen gele en bruine kiezel, een enkel spoor, met aan één zijde een smalle, vastgestampte strook aarde, bestemd voor spoorwegwerkers. Hier liet Peters elke dag zijn hond uit.

Een zacht dreunen van de rails kondigde een naderende trein aan. Peters kende alle machinisten op dit traject. Een bel rinkelde, ver achter hem, waar de spoorweg de rijksweg kruiste. Hij stak een hand omhoog.

De laatste maandag in januari. Soms dwarrelde een sneeuwvlok naar beneden. Op het berijpte gazon tekende zich de hoofdvleugel van het gebouw af waar zich de conciërge-loge bevond. Peters kon zichzelf zien. Als iemand nu het gazon overstak, zou het gras onder zijn voeten knerpen. Maar er was buiten niemand te zien.

Binnen leek de school ook een beetje ingedommeld. Er waren alleen wat vlakke geluiden te horen van een te late leerling die zijn jas in de garderobe ophing en ergens, op de galerij van een van de etages, de voetstappen van Wulf Teubner, die de absentenbriefjes van het tweede uur ophaalde.

Peters ging verder met het tellen van de wekelijkse collecte. (De school had een project van transmigranten in Sumatra geadopteerd.) Hij voelde zich behaaglijk in de knusse ruimte van dit vertrek. Telde de opbrengst per klas en noteerde het eindbedrag op een lijst. Het trof hem dat er meer geld was opgehaald dan in andere weken. Beduidend meer zelfs, als je het vergeleek met dezelfde periode van vorig jaar. Dat kwam misschien doordat Minkman, de conrector, dit jaar de collecte onder zijn hoede had en zich al enige malen via de intercom met enkele goedgekozen woorden tot de leerlingen had gewend. Een weekopbrengst van bijna vierhonderd gulden, dat wil zeggen ruim dertien gulden gemiddeld per klas, was nog niet eerder behaald.

Peters borg het geld zorgvuldig op in de geldkist. Eens in de twee maanden kwam Minkman het ophalen. Peters deed een briefje met het wekelijkse eindbedrag in het postvakje van de conrector, zodat deze zich toch al een beeld kon vormen van wat er totaal in kas was.

Er kwam een telefoontje binnen van het ministerie, dat hij doorverbond. Telefoons aannemen, de intercom bedienen, bezoekers de weg wijzen, hij deed het allemaal met evenveel plezier. Tegen vakanties zag hij op.

Weer een telefoontje. Nu van het ABP. Peters, thuis alleen met Speedy, had hier het gevoel midden in de wereld te staan. In ieder geval was dit vertrek het middelpunt van de school. Dat had de rector hem bij zijn benoeming al direct duidelijk gemaakt. Zijn verantwoordelijkheid was groot. Als hij zijn werk niet goed deed, liep het op school in het honderd.

Hij verdrong de gedachte aan zijn collega die ieder moment in de schemerige hal van de school zou kunnen verschijnen, wierp door de licht beslagen ruit een lange blik op de grote verblindend witte plek buiten, op de ijskoude glans die over het brede toegangspad lag, op deze droge, van rijp krakende ochtend, en de kinderlijke opgetogenheid die hij daarnet had gevoeld in die kleine goed verwarmde ruimte (hij had de beide spreekluiken gesloten, wat de intimiteit nog versterkte), kwam weer terug. Wulf Teubner kon nu zo met de absentenbriefjes van het tweede lesuur verschijnen. De absenten werden dan direct op een lijst bijgeschreven. Het absenteïsme nam onrustbarend toe. De conrectoren van de verschillende afdelingen wilden de situatie per lesuur weten.

Een telefoontje. Een ouder wilde met de decaan spreken. De decaan kwam juist op de conciërgeloge af. Peters deed het spreekluik open en de decaan overhandigde hem een briefje met namen van leerlingen die via de intercom moesten worden opgeroepen. Peters reikte hem door het spreekluik de hoorn aan. Zo liep alles gesmeerd. Je moest voortdurend attent zijn. Een dag was, jammer genoeg, voorbij voor je het wist.

Hij had het spreekluik gesloten en telde geld van nagekomen bestellingen van schoolfoto's.

Aartsen, een van de schoonmakers, kwam langs. Hij trok een plavuizenboender achter zich aan. Zijn gezicht stond boos. Peters opende het luik en Aartsen stak er direct zijn hoofd door.

'Een ophef dat die Teubner maakt, hij vindt dat ik de trappen van de galerij niet goed heb schoongemaakt, maar die vent heeft niks over mij te vertellen, ik ressorteer direct onder de rector. Van hem krijg ik orders, van hem accepteer ik berispingen... Kun jij met hem overweg?'

'Och,' zei Peters en haalde zijn schouders op. 'Ik moet ook maar met hem meedoen, ik kan hier niet met hem gaan zitten ruzie maken.' Peters had geen zin om te zeggen dat hij zich verlegen voelde in Teubners aanwezigheid en dat hij die verlegenheid met de beste wil van de wereld niet kon uitbannen.

Ze hoorden beiden de zware stappen van Wulf Teubner dichterbij komen. Ze brachten een lichte trilling in de muren van het vertrek teweeg.

'De gorilla,' zei Aartsen en vertrok snel. Zo noemden de leerlingen deze conciërge vanwege zijn vierkante schouders en zwart behaarde armen.

Peters telde het fotogeld, deed net of hij de komst van zijn collega niet in de gaten had.

'Ik heb twee rokers in de garderobe betrapt. Recidivisten.' Teubner gaf de namen op. 'Wil jij dat direct aan Minkman melden.' Hij stond groot en breed in de kale omlijsting van de deur, met zijn gladgeschoren, rode gelaat en zijn kleine scherpe oogjes. Peters voelde zich onmiddellijk een beetje overbodig. Wulf Teubner overhandigde hem een stapeltje absentenbriefjes. Die kon hij alvast op de lijst bijschrijven. Hij vertrok om de andere lokalen langs te gaan.

Peters was bezig de namen in te schrijven. Er werd op het spreekluikje getikt.

'Je bent zo ingespannen aan het werk...' zei de bibliothecaresse. Hij verontschuldigde zich. Ze gaf hem een lijstje met namen van leerlingen die hun boeken nog moesten inleveren. 'Wil je ze straks even omroepen?'

Peters borg het geld van de foto's op. Net toen hij weer wilde gaan zitten, kwam zijn collega binnen met de resterende absentenbriefjes. Peters had de neiging om weg te duiken. Hij ging haastig zitten en hield zonder dat hij het wilde even zijn adem in. Het was of Teubner, alleen al door zijn komst, hem suggereerde snel zijn plaats weer in te nemen.

Ze zaten naast elkaar aan de werktafel. Peters

werkte de overige absenten bij. Teubner verbond de binnenkomende telefoontjes door. Vaak knoopte hij een kort gesprek aan, alsof degenen die belden allemaal oude bekenden van hem waren. Zijn stem klonk met opzet zacht, maar heel nadrukkelijk. Vaak maakte hij dezelfde opmerking: 'Verstandige mensen overkomt niets', en dan lachte hij overdreven. Het kwam Peters echter voor alsof alles wat hij deed natuurlijk, heel vanzelfsprekend was.

Een docent kwam voorbij. Vijf minuten voor het officiële einde van de les.

'Die gaat al koffie halen,' zei Teubner, die even aan Peters mouw zat. 'Intussen zit zijn klas alleen en breekt de tent af. En wie kunnen de stukken bij elkaar vegen? De dames en heren docenten komen een paar uur op school en gaan weer naar huis, voor een salaris dat vijf keer zo hoog is als het onze. Waarom worden wij nauwelijks beter betaald dan de schoonmakers?'

De bel van tien uur luidde. Leerlingen en docenten verdrongen zich al gauw in de gangen, op de galerijen van de verdiepingen. Teubner was in de centrale hal gaan staan om toezicht te houden. Hij torende boven iedereen uit.

Peters had nu drie briefjes met omroepberichten.

Hij legde ze in de volgorde van ontvangst en las ze hardop door, zodat hij zich niet in de uitspraak van namen zou vergissen. Vóór de komst van Teubner was zoiets niet nodig geweest. Ben Peters had toen voldoende zelfvertrouwen gehad. Nu kwam het steeds vaker voor dat hij zich vergiste, begon te hakkelen en adem te kort kwam midden in een zin.

Aartsen kwam weer langs en vroeg of Ben het al had gehoord. 'Teubner heeft flink op zijn kop gehad van Minkman. Gistermiddag was er een vergadering van de brugklasdocenten en Minkman had hem gevraagd om thee te brengen. Teubner heeft toen met een zet de kopjes over de tafel laten glijden. Minkman is razend geworden en heeft hem, na afloop van de vergadering, op zijn kamer geroepen. Ik hoorde het net van de monteur die de afwasmachine in het keukentje aan het repareren is. Nou, die Teubner zal het hier niet lang maken. Iemand met zoveel kapsones.'

De bel voor het derde lesuur. Docenten en leerlingen waren van lokaal gewisseld. Dit was altijd het moment waarop de berichten via de intercom werden voorgelezen. Teubner was gelukkig nog nergens te bekennen. Peters legde de drie briefjes nog wat dichter bij elkaar, hield zijn oog op de klok in de hal gericht. Op het moment dat hij inschakelde, zag hij zijn collega op de galerij van de eerste etage over de trapleuning gebogen staan. Teubner keek hem strak aan en Peters voelde zich als op heterdaad betrapt. Hij kon niet meer terug, trok een zielige grimas en begon te spreken. 'Hier volgen...' Het woord 'bibliotheek' sprak hij tot drie keer toe verkeerd uit. Daarna had hij geen adem meer voor de opsomming van de leerlingen...

's Middags moest Ben Peters bij de rector komen.

De besneeuwde akkers zagen er vandaag zo grijs, zo doods, zo onverschillig uit. Met Ben Peters was er ook iets mis. Anders liep hij hier altijd met vloeiende, soepele bewegingen, opgewekt. Nu trok hij zijn schouders onder het lopen in alsof hij zich zo klein mogelijk wilde maken. Ook met de melkfabriek was vandaag iets niet in orde. Anders rook je niets. Nu kwam er een zware lucht van zure melk uit de hoge blinkende silo's.

Peters bleef staan. '...omdat je manier van spreken... er zijn docenten die vinden... ik ben het daar zelf niet mee eens... dat je je voor de intercom nogal moeizaam uitdrukt wat de communicatie vanzelfsprekend niet ten goede komt. Een van de docenten had het zelfs over *crommunicatie*... Het lijkt me beter dat je collega voorlopig de mededelingen doet...'

De hond keek op naar zijn baas, die vandaag niet met hem praatte, geen stokken gooide, niet rende. Peters stond bij een onbewaakte overweg. Een gevarenbord stak schuin de lucht in. Hier stond ook de enige lantaarn. Er hing een nevelige lichtkring om de lamp en de rails glommen. Ver weg rinkelde een bel. Even later passeerde een trein. De machinist stak een hand omhoog, maar Bennie Peters zag het niet.

Een paar dagen later nam hij Speedy na de middagpauze mee naar school. Na afloop van zijn werk zou hij direct doorgaan naar de dierenarts. Speedy was toe aan de jaarlijkse rabiësinjectie. Teubner aaide de hond en zei dat hij zelf vroeger ook een renhond had gehad. Was er zelfs mee naar koersen geweest. 'Hij maakte snelle tijden, maar heeft zich eens tijdens een wedstrijd twee pezen oversneden en moest toen worden afgemaakt.'

Het was heet in de conciërge-loge. De hond hijgde en de tong hing uit zijn bek.

Bennie zette een bakje water voor hem neer.

'Wij denken altijd dat honden er erg aan toe zijn

als ze zo hijgen,' merkte Teubner op, 'maar een hond heeft geen zweetklieren op zijn huid. Hij zweet via zijn tong. Nee, het is niet helemaal waar wat ik zeg, hij kan ook zweten via zijn voetzooltjes. Dat weet niemand. Je ziet soms mensen die hun hond op heet asfalt laten draven. Je moet dat vergelijken met roeien. Alles gaat prima zolang je geen natte handen hebt. Maar roeien met natte handen geeft binnen de kortste keren blaren. En wat zie je bij een hond? De voetzolen zijn bij warm weer altijd vochtig. Na een paar minuten op heet asfalt zwellen de blaren op als paddestoelen.'

De telefoon ging en Teubner nam op. Ook dat werk had zijn collega als vanzelf overgenomen. Peters maakte de werktafel schoon terwijl Teubner doorverbond.

Om kwart over vijf zat Peters in de wachtkamer van de dierenarts. Hij snoof de doordringende geur op van desinfecterende middelen, van bezwete vacht. Bijna de geur van een kinderboerderij of een circus. Tegenover hem wachtte een dame met een korfje op haar knieën, waarin miauwend een kat om zichzelf heen draaide en door een ruitje loerde, de ogen wijd open. Peters begon Speedy te aaien die als een komma op zijn schoot lag en vaag naar de kat keek. De dokter riep hem binnen.

De hond jankte een beetje toen de injectienaald door zijn vel prikte. De dokter noteerde de behandeling in het hondenpaspoort en gaf Peters de rekening. Dertig gulden. Peters had al jaren aaneen vijfentwintig betaald. Hij had niet meer bij zich.

'Die vijf gulden komt wel een keer,' zei de dierenarts.

'Nee', zei Peters, 'daar hou ik niet van. Ik kom het u direct brengen.'

De school was op een paar minuten afstand. Hij nam uit de geldkist vijf gulden van het fotogeld en legde een briefje in het vakje: Vijf gulden geleend, Peters. Morgen zou hij het geld terugleggen. Hij betaalde de dierenarts.

Op de terugweg ging hij weer de school binnen. Hij had geen geld bij zich om allesvoer voor de hond te kopen, haalde twee tientjes uit de geldkist en legde er een briefje met zijn naam bij.

Die avond rende Speedy op het zandpad en Ben Peters gooide stokken dat het een lieve lust was. Bij de onbewaakte spoorwegovergang bleef hij als gewoonlijk een poosje stilstaan. Kale akkers, weiland, bos wisselden elkaar op de meest grillige wijze af.

Houvast aan je ogen gaf alleen de rechte lijn van de spoordijk. Hij leunde tegen de paal met het gevarenbord en aaide de hond die zijn kop naar hem ophief. Toen hij weer doorliep, wankelde hij een beetje alsof hij gedronken had. Die avond ging hij weer terug naar school, verscheurde beide briefjes die hij geschreven had en nam vijftig gulden collectegeld mee. Net toen hij het opberghok had afgesloten, hoorde hij voetstappen in het alleen door nachtlampen verlichte gebouw. Teubner stond in de deuropening.

'Wat ben jij hier aan het uitkienen, Peters? Ik kwam hier toevallig langs en zag licht branden.'

'Ik ben vanmiddag het oude rabiëslabeltje kwijtgeraakt,' zei Peters rustig. 'Vanmiddag droeg Speedy het nog...' Hij bukte zich om onder de werktafel te kijken.

Samen verlieten ze de school.

Een maand ging voorbij. Op een dag schoot Minkman Peters in de gang aan.

'Een dezer dagen moeten we maar samen even naar het collectegeld kijken.'

'Goed,' zei Peters. 'Het zou nu kunnen, want het is op dit moment niet zo druk, maar ik heb mijn sleutelbos vergeten.'

‘Het heeft helemaal geen haast,’ zei de conrector.

‘Het kan normaal elke dag,’ zei Peters. ‘Ik heb eigenlijk altijd mijn sleutels bij me.’

‘Dat kan iedereen overkomen,’ meende de conrector.

Peters schreef absenten in en Teubner deed de ronde langs de lokalen.

Aartsen kwam langs met zijn plavuizenboender. Peters deed direct het luik open en de schoonmaker stak er zijn hoofd doorheen. Hij fluisterde: ‘Die Teubner kletst over je.’

‘Wat kletst hij?’

‘Hij vraagt zich af of het collectegeld er allemaal nog wel is. Dat beheer jij toch? Niet dat hij zegt dat je geld hebt weggepakt, maar hij maakt wel vage toespelingen, heeft het over geruchten...’

‘Nou, dat geld is gewoon hier,’ zei Peters, ‘je zou het op dit moment van mij mogen zien. Vrijdag draag ik alles af aan Minkman die er verder voor zal zorgen. In ieder geval ontbreekt er geen cent.’

Aartsen klopte geruststellend op Bens arm.

‘Dat weet ik natuurlijk ook wel, maar die vent noemt steeds jouw naam... Hij zou je zelfs op een avond hier bezig hebben gezien...’

‘Ik was Speedy’s rabiëslabel kwijt...’

'Kan mij niet schelen wat je die avond hier deed, ik wilde je alleen maar waarschuwen. Weet je wat ik vind? Ik vind dat ze die kerel hier nooit hadden moeten binnenhalen. Er waren over de honderd sollicitanten en hem pikken ze eruit...!'

De schoonmaker ging weg, kwam meteen weer terug.

'Als ik jou was, zou ik het er met Minkman of de rector over hebben.'

'Bedankt,' zei Peters.

Die dag haalde hij tegen halfzes de laatste honderd gulden uit de kas. En rende met Speedy, die een nieuwe halsband droeg van geel leer. De weg klonk hard en licht onder hun voetstappen.

De volgende dag zei de conrector dat hij nu wel even tijd had om het geld over te nemen.

Ben Peters liet zijn sleutelbos zien.

'Ik moest net zelf in de geldkist zijn om geld voor een leerling te wisselen. Ik heb mijn sleutel niet bij me.'

Ze renden 's avonds langs de spoordijk en toen Peters met zijn hond thuiskwam, wachtte Minkman hem op.

'U bent bang dat ik het geld gestolen heb?' vroeg Peters.

‘Ja, daar ben ik bang voor.’ Zijn stem was hard. De conrector had een machtig, kaal voorhoofd.

‘Het geld is aanwezig,’ zei Peters en hij geloofde het zelf.

‘Ik ben benieuwd. Ik weet ongeveer hoeveel er moet zijn. Ruim tweeduizend gulden.’

‘Dat klopt,’ zei Peters. ‘Het zit er allemaal in. Tweeduizend twintig en een paar centen.’ Hij was er zeker van dat het tot op de laatste cent klopte.

In de school wachtten de rector en de decaan hem op. De deur van de conciërge-loge en het berghok waren al opengemaakt. De geldkist stond op de werktafel.

‘Het geld is er,’ zei Peters rustig, zonder aarzeling.

De drie keken hem aan, probeerden een lachje te voorschijn te brengen, ongerust opeens dat het geld er toch zou zijn en ze een dwaas figuur zouden slaan.

Bennie Peters zocht de juiste sleutel uit zijn sleutelbos en opende de kist. Hij was leeg op een paar rolletjes munten na. Ze staarden er allen naar alsof ze naar een dood beest keken.

‘Hier waren we dus bang voor,’ zei Minkman. Maar hij scheen er opeens spijt van te hebben zo kortaf te zijn geweest en vroeg, wat vriendelijker: ‘Hoe heeft dit kunnen gebeuren? En waar is het geld gebleven?’

Op de gezichten van de rector, de conrector en de decaan stond een redeloze verwachting te lezen. Dachten ze dat hij die tweeduizend zo te voorschijn zou kunnen toveren?

Peters keek de andere kant op en zag het gazon, het schoolplein, de fietsrekken van het personeel. Hoe vaak had hij vanaf dit punt niet naar buiten gekeken?

'Wat is er met het geld gebeurd?' drong de rector aan.

'En waarom?' vroeg de decaan.

Peters dacht aan zijn hond, die nu alleen thuis was. Nauwelijks merkbaar haalde hij zijn schouders op en bleef een andere kant uit staren.

'Kijk ons in ieder geval aan,' zei Minkman. Peters zag nu diepe bezorgdheid op hun gezichten.

'Zeg waar het geld is,' zei de rector vriendelijk, 'of wat je ermee gedaan hebt, maar zeg wat, alsjeblieft zeg wat!'

'We kunnen de politie er nu nog buiten houden en je binnen schoolverband misschien aan ander werk helpen,' zei de decaan.

Hij bleef zwijgen en zag ze wanhopig en woedend worden. Langzaam drong het tot hen door dat hij zich niet wilde laten redden.

Hij deed een stap naar voren als wilde hij een bekentenis doen. Ze bogen hun hoofden.

Nog een stap. Ze gingen opzij. Misschien lag al het geld in een van de *postvakken.* In de gang was hij gaan rennen.

Met een paar minuten was hij bij de spoordijk. De silo's zagen eruit als betekenisvolle schimmen. Achter hem begon onverschillig een bel te rinkelen. Diezelfde onverschilligheid kroop over de vlakte naar hem toe. Bij de onbewaakte overweg stond hij plotseling stil, alsof hij tegen iets onzichtbaars stuitte.

De trein passeerde. Hij stak een hand omhoog. In lange tijd had hij zich niet zo goed gevoeld. Bennie Peters verlangde naar zijn hond en begaf zich op weg naar huis.

Ziekteverlof

Stellingwerf opende het portier. De hond sprong op de voorbank. Ze reden samen onder de Oude Rijksweg door, volgden een smalle, bochtige weg een langgerekt dal in. Rechts zag hij tussen de dicht opeenstaande, met sneeuw bestoven dennen hoogspanningsmasten, zacht suizend in de vochtige lucht; links kruisten de draden de bovenleiding van de spoorrails die tussen de maïsakkers door liepen. De weg had brede bermen. Waar de sneeuw was opgewaaid, lag ze tot op kniehoogte.

Hij parkeerde de auto langs een bospad. Mistral, een lichtbruine whippet, sprong in de sneeuw. Stellingwerf gooide een stok. De hond rende erachteraan, oren plat op zijn kop, poten van de grond, rossig in het rossige namiddaglicht, en bracht de stok terug. Hij stond voor zijn baas, bedelde om een nieuwe, zijn oren wijduit, als zeilen. De zon scheen door zijn oren. Je kon de dunne, purperen aders zien. Hij aaide zijn hond en Mistral keek naar hem op. Wat kon zo'n dier intens kijken! Angstaanjagend intens. Alsof hij op het punt stond buiten zijn aanleg te treden en een menselijk woord ging zeggen. Vanaf het pad staarde Stellingwerf naar de verlaten weg die het oude gletsjerdal in liep. Een man alleen met zijn hond.

Vijf minuten voor het einde van de les was de conrector binnengekomen en had verbaasd gekeken.

'Waar is uw klas, meneer Stellingwerf?'

'Ze hadden een proefwerk. Wie klaar was, mocht zijn werk inleveren en weggaan. Dat is rustiger voor de andere leerlingen.'

'Maar tegen de regels die hier op school gelden! En onrustig voor leerlingen van andere klassen...'

'Ik doe dit wel meer... Het is bovendien het laatste uur van de dag. Ze storen niemand. Ik ben vaak de enige die dit uur nog les heeft in deze afgelegen gang. Mijn leerlingen storen dus niemand.'

'Als alle docenten zo'n gedrag gaan vertonen, wordt het een chaos...'

Stellingwerf had gezwegen, had geen zin meer gehad om de veel jongere conrector te overtuigen. Die was weggegaan met de woorden: 'Ik wil in ieder geval niet dat het weer voorkomt. Regels zijn regels.' Bij de deur zei hij nog: 'Ik ben blij dat ik het gezegd heb. Ik had het wel een tijdje voor me kunnen houden, maar dan was mijn ergernis steeds groter geworden, ja...?'

De hond, ongeduldig, duwde zijn natte snuit in de handpalm van de man.

'Ben je nog boos op me, Mistral?'

De hond blafte. Waarom zou hij boos zijn?

Dat is nou het bijzondere van een hond, dacht Stellingwerf. Trapt iemand hem per ongeluk op zijn poot, loopt iemand met een winkelwagentje tegen hem aan, zijn eerste reactie, behalve een schril kreetje, is direct op zijn 'belager' afgaan en zich uitputten in tederheid. De dosis tederheid waarover een hond beschikt, is onuitputtelijk.

Hij had een brief in zijn postvak gevonden: 'Geachte collega's. Het ligt in het voornemen van de staf om binnenkort een nieuwe ronde sociale gesprekken met het personeel te houden in het kader van het sociale beleid. De vorige ronde, alweer drie jaar geleden, heeft goed gewerkt. Er zijn veel kleine oneffenheden gladgestreken. De bedoeling van de tweede ronde is een soort updating te maken van het eerste gesprek. De volgende punten zullen aan de orde komen. Hoe staat men tegenover het werk op school? Hoe ziet men de naaste en verdere toekomst? U wordt binnenkort voor een gesprek benaderd.'

Het verslag van het sociale gesprek vond hij enkele dagen later in zijn ruif: 'De heer Stellingwerf staat positief tegenover zijn werk. De school blijft hem boeien. Hij gelooft wel dat de sfeer sinds de verschillende fusies veranderd is. Er zijn geen conflicten tussen de heer Stellingwerf en collega's. De heer Stellingwerf heeft geen andere ambities binnen de school dan lesgeven. Zaken als leerlingenbegeleiding en werkweken trekken hem niet. Hij maakt zich wel zorgen over de gevolgen van de fusies. De verschillende scholen passen niet bij elkaar betreffende cultuur en sfeer. Op de vraag waarom de heer Stellingwerf tijdens de pauzes in zijn klas blijft en op die wijze niet bepaald de integratie van hemzelf met alle nieuwe collega's bevordert, bleef hij eerst het antwoord schuldig. Na enig aandringen wilde hij wel toegeven tegen de fusies te zijn. Men had het oude categoriale gymnasium, dat al een halve eeuw bestond en nog vitaal was, ongemoeid moeten laten. Op de vraag ten slotte of hij dit soort gesprekken als nuttig ervoer, antwoordde hij ontkennend. PS. Na lezing en instemming met de inhoud kan het verslag in de staf besproken worden.'

Waarom werd een hond nooit kwaad? Waarschijnlijk omdat het niet in zijn hoofd opkwam dat iemand hem kwaad zou willen doen. Er was misschien kwaad in de wereld, maar dat kwaad kwam niet van de mens. De mens gaf hem eten en drinken, veel comfort, gooide stokken... Hoewel, zijn baas stond nu wel erg te dromen.

'Dus je bent niet meer boos op me, Mistral?'

De hond blafte een paar keer naar de stok. Natuurlijk was hij niet boos. Waarom zou hij? Hij wilde nu wel heel graag achter de stok aanrennen die zijn baas in de hand hield. Hij trok aan de veters van Stellingwerfs hoge schoenen, kwispelde met zijn staart, sprong op om zijn gezicht een lik te geven. Wilde al die dingen tegelijk doen en rolde in de sneeuw.

Ze liepen samen het witte pad af. De hond had een stok in zijn bek. Uit de sneeuw staken vlierstengels met hardbevroren, zwarte bessen. Op een tak zaten een paar dikke, levenloze vogels. Er kwam wind opzetten. De toppen van de bomen bogen onder de ijskoude vlagen.

'Daar kan ik dus zeker van zijn, Mistral... dat je me dat echt niet kwalijk neemt?'

Wat zat zijn baas vandaag toch te zeuren? Boos? Maar hij had geen zin om te luisteren! Van dat bevroren toefje gras kwam een heerlijke geur. Een korte schaduw gleed over het bospad. De hond ging achter het konijn aan. Hij had er nog nooit een gevangen.

'Nu u toch op mijn kamer bent,' zei de jonge conrector. 'Van enkele ouders zijn klachten binnengekomen bij het Curatorium. Het is doorgespeeld naar de rector. Hij vroeg mij u daarover aan te schieten. U zou in een derde klas weleens een minuutje te laat beginnen of te vroeg ophouden. Met name in MAVO-3a zou u zich wel eens ongeïnteresseerd betonen tegenover uw leerlingen.'

'Ik ben een keer te vroeg opgehouden. Ik weet nog op welke dag dat was. De klas had vanwege het slechte weer les in het gymlokaal van de dependance en op verzoek van de gymleraar heb ik ze iets eerder laten gaan.'

'Van dat verzoek van de gymleraar is mij niets bekend,' zei de jonge conrector die Minkman heette.

'Wat het tweede betreft, ik kan eerder stellen dat die leerlingen zich ongeïnteresseerd betonen.'

'U geeft de MAVO niet graag les?'

'Ik heb niets tegen de MAVO. Ik heb vroeger zelf op de ulo gezeten. Jaren heb ik gestudeerd in mijn vrije tijd en het is me gelukt docent aan een gymnasium te worden. Sinds de fusies word ik gedwongen aan een MAVO les te geven. Daar ben ik niet voor opgeleid. U zult waarschijnlijk tóch denken dat ik neerkijk op MAVO-leerlingen. Ik ben er zelf ooit een geweest. Ik kijk niet op mezelf en mijn afkomst neer. Integendeel. Maar het is waar dat ik enige moeite heb om met ze om te gaan.'

Stellingwerf stond stil, wachtte tot zijn hond uit het ruige onderhout terugkeerde, waar het al donker begon te worden. Met de hakken van zijn schoenen maakte hij kuiltjes in de sneeuw.

In zijn postvak vond hij enkele dagen later de volgende brief: 'Op dinsdag 13 februari heb ik een gesprek met u mogen voeren over het feit dat de curatoren een klacht over u hadden betreffende uw optreden in de klassen. U zou weleens te laat beginnen of te vroeg eindigen en u zou u met name in MAVO-3a weleens ongeïnteresseerd betonen tegenover uw leerlingen.

U heeft mij verzekerd dat u zeer geïnteresseerd bent in het wel en wee van uw leerlingen en dat met name in MAVO-3a de situatie na enkele weken van onaangenaamheden aanzienlijk is opgeklaard. U geeft er weer met plezier les. Deze klas heeft u op vrijdag een minuut eerder laten gaan in verband met de gymles. Verder komt het niet voor dat u uw klas alleen laat.

U bent zich er wel van bewust dat er vaker is geklaagd over uw korte absenties in uw klassen, in verband met koffie halen, maar u streeft ernaar aan deze klachten alle grond te ontnemen.

Ik heb u gezegd dat ik persoonlijk van uw grote inzet overtuigd ben en dat ik er graag met u naar wil streven aan boze geruchten rond uw persoon een eind te maken.

Het gesprek vond plaats in de grootst mogelijke harmonie.'

Minkman, conrector

Een paar dagen geleden was Stellingwerf 's nachts wakker geworden. Hij had de hond horen janken en was gaan kijken. Mistral had naast de mand gestaan.

'Kom, je moet gaan slapen. Ik moet morgen weer vroeg naar school.' Hij had hem zacht teruggeduwd. De hond had zich uit alle macht verzet. Wat waren dat ineens voor kunsten! Jaren al had hij op die plaats in die mand gelegen. Weer had hij hem in de mand teruggeduwd en tegelijk een flinke tik gegeven. En nog een. De hond had hem verbaasd aangekeken en was naar hem toegekomen. Even was Stellingwerf buiten zinnen geweest en had hem nog een klap verkocht.

'U hebt u niet opgegeven voor de cursus huiswerkdidactiek. Van de zijde van de collega's is er voor deze problematiek een forse belangstelling. Er worden voorbeeldlessen gegeven. Hoe kinderen leren te schematiseren, te structureren, zichzelf te toetsen, zichzelf strategieën voor probleemoplossingen toe te dienen? De staf heeft niet de indruk dat u in uw lessen de leerlingen voldoende aanwijzingen geeft wat dit betreft.'

Stellingwerf droomde weg en zag niet eens dat zijn hond hem al een hele tijd stond aan te kijken. Hij aaide hem over zijn platte kop. De hond wilde opnieuw geaaid worden en duwde zijn natte snuit in het gezicht van zijn baas.

Het was gaan sneeuwen. Met de sneeuw viel de schemering in. Ze liepen samen terug naar de auto. Boven de Schelmse brug was de hemel grijsblauw. Er kwamen daar al een paar sterren te voorschijn. Achter de brug lag de straat waar hij met zijn hond woonde. Een huis in een rijtje. Net als zijn collega's had hij in de jaren zestig, toen de grond nog goedkoop was, alle kans gehad een eigen huis, een groter huis te kopen. Hij had de hypotheek niet aangedurfd. Hypotheek was schuld en het was hem bijgebracht dat je je niet zonder noodzaak in de schulden mocht steken. Maar zijn huis was goed verwarmd en in de voorkamer stond zijn mooie Ibach-piano. Hij speelde elke avond en de hond zou vanaf de bank luisteren. Stellingwerf bedacht hoe goed ze het samen hadden. En als hij had gespeeld – bij voorkeur César Franck de laatste tijd – ging hij bij de hond op de bank zitten. Ze zouden samen tv kijken en de hond zou diepe zuchten slaken van genot.

De conrector had op het raam van zijn lokaal geklopt en was direct daarna binnengekomen.

'Zou u deze lijst zo spoedig mogelijk willen invullen en in mijn ruif doen? Het gaat over uw functieprofiel. Ik wil in het bijzonder de aangekruiste vragen beantwoord zien. Bevoegdheden. Ervaring, leeftijd, specifieke vaardigheden, persoonskenmerken, fysieke conditie. Uw beschrijving moet zo exact mogelijk zijn.'

Hij stampte de sneeuw van zijn schoenen toen hij bij de auto kwam, maakte de voorruit schoon met zijn handen. De hond rende door de sneeuw, die steeds dichter uit de hemel viel en in de schemering glinsterde in alle kleuren van de regenboog.

De wind nam toe. De sneeuw bleef boven de grond zweven. Het leek of ze zo weer naar de hemel kon opstijgen. Stellingwerf sloeg zijn van kou verstijfde armen om zich heen, startte de auto, reed een paar meter, terwijl hij de deur voor de hond openhield. Maar Mistral had nog geen zin om in de auto te komen, joeg achter de sneeuwvlokken aan, die de harde wind opwoei, begon in razend tempo een hol in de sneeuw te krabben, rende naast de auto, over de brede berm.

De conrector had hem ontboden. Een ouder had hem gisteravond gebeld. Zijn zoon had blauwe plekken op zijn arm gehad. Hij overwoog een klacht in te dienen bij de inspectie. Stellingwerf zei dat de jongen schromelijk overdreef. De leerling had zijn tas niet willen openmaken. Stellingwerf gaf toe dat hij de onwillige leerling bij zijn arm had gepakt.

Hij gaf meer gas. De donkere vlakte van het safaripark en de oude boerderijen van het Openluchtmuseum had hij al achter zich gelaten. Hij was op een kleine honderd meter van de Schelmse brug af, die hoog boven de weg is gebouwd. Direct daarachter lag de Mozartstraat waar hij woonde.

De hond zakte weg in de sneeuw, gleed van het steile talud, klauterde weer naar boven. Korte, snelle schaduwen schoten over de stille weg. Mistral ging erachteraan. Stellingwerf riep hem, want ze moesten nu toch echt naar huis. Hij liet de motor wat extra razen, zodat de hond aan het geluid zou horen dat het nu menens was, dat het geduld van zijn baas op raakte.

In zijn ruif lag een brief van de staf. Daarin stond dat de staf koos voor een kwaliteitsschool. Hieronder werd verstaan een school waarbij het onderwijs leerlinggericht is en moet leiden tot een optimale ontwikkeling van de leerlingen tot mondige mensen. Daarvoor was het noodzakelijk dat het leerlingenaantal en tevens het onderwijsaanbod omhooggingen. *De staf nodigt u dan ook uit voor een bespreking van een nieuw fusiehaalbaarheidsproject.*

Een dag na de bespreking werd hij bij de conrector ontboden. Hij vroeg waarom Stellingwerf zonder voorafgaande aankondiging weg was gebleven. Hij weigerde antwoord te geven.

Onder de brug stond een man in een groen jack met capuchon, zijn fiets aan de hand. De capuchon had hij ver over zijn hoofd getrokken. Het was een soort legerjack. Die werden gedragen door boswachters en onbezoldigde milieubeheerders. De man was niet ouder dan dertig. Hij droeg een bril die onder de sneeuw zat.

Stellingwerf stopte, omdat hij dacht dat de man pech had of de weg wilde vragen. Bovendien moest hij toch stoppen om zijn hond nu eindelijk eens in de auto te krijgen.

De man droeg lange groene laarzen. In de schemer hadden ze de kleur van prei. Mistral kwam op hen af gerend, maakt een dolle sprong, gleed uit, buitelde. Stellingwerf moest erom lachen.

Vanmorgen, de laatste dag voor de kerstvakantie had hij een brief van het Bestuur in zijn ruif gevonden...

Die man in zijn legerjack zou hij van zijn leven niet meer vergeten.

Stellingwerf zat in zijn auto, het raampje had hij omlaaggedraaid. Hij zag dat de man iets wilde zeggen, maar niet durfde. De hond keek hen beurtelings vrolijk aan.

'Wat wilt u?' vroeg Stellingwerf vriendelijk.

Ook de zachte, smekende stem van de man zou hij van zijn leven niet meer vergeten.

'Weet u, u mag uw hond niet in het bos achterlaten...'

Stellingwerf dacht even dat de man de draak met hem wilde steken. Maar zijn brede gezicht was vertrokken en zijn lippen trilden. 'Waarom brengt u uw hond niet naar het asiel? Er is een goed dierenasiel in deze stad. Ik kan ervoor zorgen dat hij vandaag nog onderdak vindt. Ik heb er contacten.'

Dit was te gek voor woorden. Moest hij hem in zijn gezicht uitlachen? Woedend worden? Dit liet hij niet op zich zitten! Stellingwerf kwam zijn auto uit. Hem van zoiets beschuldigen. Mistral sprong in de auto, keek vanaf de voorbank naar de beide mannen.

'Ik hou van mijn hond,' schreeuwde Stellingwerf. Hij wilde niet schreeuwen, maar iets of iemand schreeuwde in hem. Het klonk wel afschuwelijk hol over die lege weg. 'Denkt u werkelijk... die hond is het liefste dat ik bezit... denkt u... u lijkt wel gek.'

Hij voelde dat zijn woorden geen indruk maakten.

'Alstublieft, meneer,' zei de ander, met nog zachtere stem, 'laat hem hier niet achter, met deze kou.' Hij smeekte, wendde toen zijn hoofd af, staarde naar de grond.

Stellingwerf voelde zich vernederd. Die man vond hem zo verachtelijk dat hij hem niet eens zijn blik waardig keurde. 'Meneer,' fluisterde hij, als tegen zijn lange, groene, besneeuwde laarzen, 'alstublieft... ik kan er niet tegen als dieren leed wordt aangedaan.'

Stellingwerf trilde van onmacht om zich te rechtvaardigen. Hij gaf de man een zet. Die struikelde over zijn fiets en viel languit in de sneeuw. Stellingwerf begon hem te trappen en kon niet meer ophouden. De hond keek met gespitste oren van achter de ruit toe, zijn smalle kop iets hoger dan anders. Bijna arrogant. Zijn blik was nog nooit zo vief, zo menselijk geweest.

Fraude

Hij deed de deur van de kluis open en haalde er een bruine envelop met opgaven uit. Las: 'Examen eerste tijdvak, vwo Frans, 1986. Dinsdag 22 april, 14.00-16.30 uur.' Schakelde het rode licht boven zijn deur in. Voor alle zekerheid deed hij ook zijn deur op slot. Met een scherp mesje sneed hij het verzegelde pak open, haalde er een opgave uit. Het kostte de rector – die veel Frans las – nauwelijks een uur om de vijftig items te maken. Hij schreef de antwoorden op een blocnotevelletje. De opgavenvellen met de multiple-choice-teksten deed hij terug in de envelop, die hij zo zorgvuldig mogelijk weer dichtplakte en in de kluis legde op de stapel andere enveloppen. Morgen begonnen in het hele land de centraalschriftelijke examens.

De rector ging weer achter zijn bureau zitten, haalde uit zijn la van onder een map met ministeriële beschikkingen over klassengrootte een foto te voorschijn en zette het kiekje tegen het bakje van de uitgaande memo's. Mond, neus en kin scherp getekend; soepele hals van een achttienjarige; recht voorhoofd, blond haar, samengebonden in een staartje, frêle gestalte, smalle heupen, maar al stevige handen vol uitdrukking; als die handen strelen... zoals vorige week nog...

Vorige week nog, als altijd, op het terras van de stationsrestauratie. Op het kleine rangeerterrein, bij de loodsen en de stapels bielsen, stonden twee treinstellen van ongelijke lengte. Voorbij de spoorbanen begon de heide. In de verte, op de heuvels, werd door soldaten geoefend. Soms werden lichtkogels afgeschoten. Yvonne lachte. Hij dacht: Ze is mooi, ze is jong, ze lacht. Yvonne is van mij. Om negen uur ging de stationsrestauratie dicht. De eigenaresse kende hen, ze mochten blijven zitten. Tegen tien uur was het koud geworden en hij had zijn jas uit de auto gehaald, wikkelde haar daarin. Hij was haar natuurlijke beschermer. Zo had hij zich ook gevoeld toen hij haar in een van de eerste maanden van dit schooljaar huilend in de gang was tegengekomen. Hij had haar aangesproken en haar mee naar zijn rectorskamer genomen. Yvonne had net van haar leraar Frans weer een onvoldoende gekregen voor een multiple-choice-tekst. Ze zou die teksten nooit leren maken. Hij had haar getroost en bemoedigend gezegd dat je ze goed kan trainen. Met de docent Frans had hij afgesproken dat hij haar op zijn kamer zo nu en dan een examen zou laten oefenen.

Het was gewoonte geworden dat ze elke vrijdagmiddag bij hem langs kwam en op haar knieën aan de lage tafel ging zitten waar de rector altijd met zijn conrectoren vergaderde.

De rector werkte aan zijn bureau. Vaak keek hij naar haar en droomde wat. De rector was na zijn scheiding weer in het ouderlijk huis gaan wonen, bij zijn moeder. Als Yvonne de tekst af had, keek hij de antwoorden na en besprak de fouten. Soms bleven ze nog even napraten, over school, haar ouders, vriendinnen. Nee, ze had geen vriend. Yvonne bloosde.

Ze troffen elkaar sinds die tijd altijd op het terras van de stationsrestauratie. De horizon lichtte blauw, soms helrood op.

Het was tien voor twee toen de rector met de opgaven Frans naar de aula liep, waar het examen werd afgenomen. In aanwezigheid van de kandidaten en de twee docenten die moesten surveilleren, maakte hij de envelop open. Men deelde de opgaven uit, de surveillanten namen plaats op strategische punten in de zaal. De rector liep tussen de tafeltjes van de kandidaten door, knikte bemoedigend naar iemand. Bij Yvonnes tafeltje bleef hij staan. Zij keek niet op. Hij boog, schoof snel het velletje met de antwoorden onder haar opgaven, draaide zich om en verliet de aula. Weer op zijn kamer deed hij zijn deur op slot. Het rode licht boven zijn deur brandde nog. Hij stak de foto van Yvonne bij zich, sloot bureau en kluis, wachtte, staande achter zijn bureau... – 'Ik moet je iets ernstigs meedelen, kan ik je alles vertellen?' Zo had ze hem gisteren in de gang op school aangesproken. Hij had onmiddellijk alle afspraken afgezegd.

De stationsrestauratie, tussen twee banen rails, met gele kiezels, in de hete zon. Twee tafeltjes met wat stoelen, en een verkleurde parasol van Coca Cola. De schaduw van het warme gebouw, vlak voor hun voeten. Een plastic vliegengordijn voor de ingang. De lokale trein die E. met Amersfoort verbond, was net vertrokken. Ze waren de enige mensen op het perron. De vrouw van de restauratie stond in de deuropening.

'Zou je ijs willen?' vroeg de rector. 'Of wil je wat drinken?'

'Kan me niet schelen,' zei Yvonne.
'Twee ijs,' zei hij tegen de vrouw.
'Sorbet?' vroeg de vrouw.
'Ja, twee frambozensorbets.'

Terwijl ze wachtten, keken ze door hun zonnebril naar de heidevlakte. Over de kale heuvels aan de horizon reden tanks. Soms kwam een helikopter over.

'Ben je op een ander verliefd?'

Ze gaf geen antwoord, keek recht voor zich uit. Er stonden een paar bomen op de hei. Ze waren wit in de zon.

'Nou?' drong hij aan. 'Je kunt mij alles vertellen.' Zijn stem klonk sarcastisch.

'Ik kan er toch niets aan doen.' Ze keek hem niet aan. De vrouw van de restauratie bracht twee sorbets en twee viltjes.

In het ijs staken twee kleine parasols. Ze nam de tafel af met een doek voor ze de viltjes en de glazen neerzette en weer achter het plastic gordijn verdween. Ze raakten het ijs niet aan; de hei lag korrelig in de zon te blinken. De rector streelde haar schouder, ze draaide haar hoofd naar hem toe.

'Ik wil je heus geen verdriet doen.' Hij knikte, bleef haar schouder strelen. Na diep te hebben ingeademd sloeg hij zijn benen over elkaar, glimlachte. Hij was haar toch kwijt, voelde ineens een diepe afschuw voor dit meisje, maar bleef haar schouder strelen. Haar huid was bruinverbrand en ze had haar lippen oranje opgemaakt.

'Hoe is het begonnen? En wanneer?' Dat mocht hij toch wel weten? En wie?

Ze wreef met haar vinger tranen van haar wang. Hij kreeg hoop. Alles was een afschuwelijke vergissing. Ze zou die vergissing in de gaten krijgen, die tranen gaven dat al aan.

'Ik had het eerst niet in de gaten...'

'Wat?' vroeg hij, geduldig nu, niet-begrijpend. Hij wilde zoveel mogelijk weten. Zijn hand lag op het tafeltje. Ze pakte zijn hand.

'Kan ik echt alles tegen je zeggen?'

'Maar natuurlijk, Yvonne, we zijn toch volwassen!' De zon scheen recht op de parasol. Hij hapte naar adem. Zij keek hem dankbaar aan.

'Twee weken geleden was ik op een feestje... ik heb de hele avond met dezelfde jongen gedanst. Hij vroeg of ik een vriendje had. Toen heb ik hem over ons verteld...'

'Waarom moest je direct over ons vertellen? Je hebt gezegd dat je met de rector van het Willem de Zwijger College naar bed ging...?'

'Daar heeft hij niets mee te maken, dat is iets tussen ons, ik heb natuurlijk ook niet gezegd met wie ik omging...'

'Vorige week toen we hier zaten zei je nog dat je gelukkig was. Dat zei je toch?' Zijn woorden werden gehinderd door de stilte van de middag. 'Waarom zeg je zoiets als je het niet meent?'

'Toen ik bij je was, meende ik dat ook wel...'

'Heeft het met ons leeftijdsverschil te maken?'

Ze zag er breekbaar uit, droeg de kleren waarvan ze wist dat hij ze mooi vond. Vertrouwde kleren, maar het vertrouwde lichaam wilde hem niet meer.

'Ik heb het verschil in leeftijd nooit als een probleem gezien. Die jongen zei wel dat ik door al het clandestiene... dat ik me misschien daardoor minder zou kunnen ontplooien. Ik ben wel altijd bang geweest dat mijn ouders iets te weten zouden komen...'

'Zei die jongen dat je je bij mij minder zou kunnen ontplooien?'

'Ja.'

'Ik heb juist altijd gezegd dat je naar allerlei feestjes moest gaan, maar heel vaak ging je liever met mij uit!'

'Dat was ook zo.'

'Nou... vorige week zei je nog dat je van me hield...'

'Ik hou nog steeds van je.'

'Maar toch heb je me niet meer nodig?' Hij sprak tegen haar gezicht en zijn stem verloor hoogte. Zij bewoog niet. Hij dacht aan de zorgeloze afgelopen maanden. 'Heeft hij je gekust?' Hij verafschuwde zichzelf. Ze trok alleen haar wenkbrauwen op. Ze hadden elkaar dus gekust. Ze hadden al met elkaar geslapen. Er zaten wespen op het weggelekte ijs. Het meisje snoot haar neus; hij zag dat haar neus rood en een beetje gezwollen was.

'Vorige week nog...' zei hij zacht, terwijl hij opstond.

'Je hebt er te veel van verwacht...' In de verte schoof de schaduw van een helikopter over het land.

De rector hoorde stemmen in de gang, haastige voetstappen. Hij klom uit het raam. Met zijn rug tegen de schoolmuur bleef hij staan, verscholen achter hoog opgeschoten struikgewas. *Ik moet je iets ernstigs meedelen, kan ik je alles vertellen?* Hij moest nu bewegen, anders zou de angst hem verlammen.

Hij stak een smal gazon over, sprong over een laag muurtje dat gazon en parkeerplaats scheidde, rende gebogen tussen auto's van docenten door, bereikte de straat. Een minuut of vijf later zat hij op het stationsterras. Had men de antwoorden bij Yvonne ontdekt of had zij een van de docenten ingelicht? Men zou de deur van zijn kamer forceren. Ze zouden zien dat hij verdwenen was. De inspectie zou worden gewaarschuwd. Men zou naar zijn huis bellen. Maar wat er ook zou gebeuren, hij was er zeker van dat Yvonne zou komen.

De vrouw schoof het plastic gordijn opzij. Hij bestelde een glas bier.

Even later zette de vrouw het bestelde op tafel.

'Het is lekker heet,' zei ze.

Hij beaamde het. De vrouw verdween en hij dronk van zijn bier. De heuvels aan de horizon vormden een lange, onduidelijke keten, de hei was droog en bruin. Gisteren was hij bij thuiskomst op zijn bed gaan zitten. Zijn moeder had de zonneschermen op zijn kamer neergelaten. Dat mooie weer was niet voor hem, maar voor anderen. Nooit meer zou hij blij zijn als de zon scheen. Hij stond op van zijn bed, beklom de trap naar de zolder. In een zwarte hutkoffer lagen moeders jurken en hoeden van vroeger. Hij had ze in zijn puberteit, en ook later nog, vaak aangetrokken en erin op zolder geparadeerd. Misschien had de angst voor verlating hem belet om tot een diepgaande relatie met zijn exvrouw te komen. Met open mond stond hij op zolder, keek naar de waslijnen die hij voor zijn moeder gespannen had. Nooit meer zou hij met plezier naar die strak gespannen waslijnen kijken. Weer op zijn studeerkamer dronk hij de kop thee die zij daar had neergezet. Er lag een chocolaatje bij. Hij stak het in zijn mond, kauwde. Hij droeg een kaki broek en overhemd. Yvonne had ze voor hem uitgezocht. Toen ze de winkel uitgingen, had ze zijn hand gepakt en zó hadden ze door de drukke winkelstraat van de grote stad gelopen, hand in hand, als man en vrouw. *Kan ik je alles vertellen?* Ja hoor, je kon hem alles vertellen. Hij kon er wel tegen. Laf, de smaak van chocola. Hij trok met zijn voorhoofd. Zoveel onrecht. Moeder zat buiten op de tuinbank, wachtte tot hij beneden kwam. Moeder die maar één wens had: dat ze nog mocht beleven dat hij een geschikte vrouw vond. Over Yvonne had hij nooit met haar durven praten. Ze zou hem uitlachen. Een meisje van achttien! Hij moest zich schamen. Hand in hand hadden ze door de stad gewandeld en de mensen hadden naar hen gekeken. Yvonne had dat juist leuk gevonden en een arm om zijn middel gelegd. Op zijn studeerkamer hield hij zijn arm gebogen, om zich de scène nog beter voor de geest te halen. Die draden boven op zolder had hij toch lekker strak gespannen. De zonneschermen wierpen smalle schaduwen op de vloer. Hij sprong over de strepen, mocht alleen de witte plekken raken. Gelukt! Ze zou bij hem terugkomen. Dat geluk van een sprong was een extra kwaadaardigheid van het lot. Kinderachtige hoop die toch werd teleurgesteld. Het was donker geworden op zijn kamer. Onder de straatlantaarn zag hij twee verliefden, verstrengeld. Ze kusten elkaar. Hij wendde zich af om niets meer te zien, rilde, zette de radio aan. Een vriendelijke stem informeerde hem over het weer, dat warm zou blijven.

De stationsrestauratie was allang gesloten. Op het kleine rangeerterrein stonden nog twee treinstellen. Van één brandden de achterlichten, helrood opvlammend in de laaghangende mist. Alleen, in het donker probeerde de rector af en toe te glimlachen: Yvonne droeg de kleren waar hij zo van hield: strakke linnen rok, donker colbertje. Dansend onder het waas van de perronverlichting kwam ze op hem toe.

Waarom gingen er nu mensen voor hem staan? Alle zicht op haar werd hem zo benomen. Hij riep haar naam. Iemand raakte hem aan. Op dat moment besefte de rector, pas achtenveertig, dat het onvermijdelijke, het finale, al gebeurd was.

Afscheidsdiner

Drs C. den Duin, docent aan het Willem de Zwijger College en intussen ook medewerker van het CPS (Christelijk Pedagogisch Studiecentrum), was voor een lezing over 'geheugensteuntjes bij het voortgezet onderwijs' in Zutphen geweest.

Zijn voordracht was in de smaak gevallen. De organisatoren van de onderwijsdag hadden graag gezien dat hij nog wat bleef napraten. Er zou een borreltje worden geschonken... Het kwam niet vaak voor dat iemand uit 'het veld' zijn gehoor in de ban wist te houden over zo'n saai onderwerp. Coen den Duin had dit verzoek beleefd maar beslist afgewezen. Hij bleef nooit napraten. Zijn betoog zou er slechts door verzwakt worden.

Hij reed aan het eind van die middag op de rijksweg die Zutphen met Arnhem verbond. Links van hem, op plaatsen waar de dichte, vaak dubbele bomenrij even werd onderbroken, keek hij over een laguneachtig landschap, met slijkbanken en rietvelden. Hij dacht glimlachend: bij het geringste zuchtje wind ritselden die harde dorre rietstengels als de schutting van dorre mensenbeenderen in het sprookje 'De mooie Wassilissa' dat zijn moeder hem lang geleden zo vaak had voorgelezen. Coen den Duin liep tegen de vijftig.

Achter de rietzee stroomde, onzichtbaar, de IJssel. Aan zijn rechterhand verhieven zich de heuvels van de Veluwezoom, onbestendig van vorm in de vrij dichte mist. De weg glansde in het late daglicht. Een aangename stemming overviel hem. Hij was alleen in zijn auto. Met een halfuurtje al zou hij thuis zijn.

Hij herkende die stemming. Ze overviel hem altijd als een lezing goed was verlopen. Vroeger kon niets hem meer angst inboezemen dan een spreekbeurt voor de klas. Om te durven spreken in het openbaar had hij later zelfs lessen bij het instituut Rhetorica genomen. Een aula met tweehonderd mensen bespelen gaf hem een diep genot. Ze werd nu nog versterkt door de nostalgische muziek die uit zijn radio kwam: *Pennies from heaven.* Het geluid was zuiver. Had hij niet onlangs gelezen dat bij vochtig weer een autoradio een zuiverder ontvangst gaf?

De vroeg invallende duisternis sloot zich ondoordringbaar om hem toe. Soms schenen de bleke lichten van een tegenligger door het mistige donker heen, glipten langs de bomen. Een groen lichtje schitterde aan een voor anker liggend grindschip.

Met de vage vorm van een auto die opdoemde en direct weer in het donker terugkeerde, zag hij in een flits in de berm het lichtgevende bord: 'Zeetong. *f* 30,-. Eten zoveel u wilt. Restaurant De Luchte.' De borden herhaalden zich tot driemaal toe, steeds groter, steeds lichtgevender, tot rechts van hem, pal aan de weg, als het boegbeeld van een schip, het massieve silhouet van restaurant De Luchte verscheen. Een fort, een kazemat, met zijn kleine, zwak verlichte ramen.

Bij de eerste aankondiging van deze gelegenheid al waren zijn handen onaangenaam gaan tintelen. Met een verhemelte dat steeds droger werd, was zelfs een lichte misselijkheid komen opzetten; hij, toch een groot visliefhebber.

Alle verschijnselen verdwenen op slag toen hij besloot het parkeerterrein van het restaurant op te rijden. Hij stopte voor een hoop kiezel, waar al jaren niets vanaf was geschept en waarop onkruid groeide.

Coen van Duin keek naar binnen. In het restaurant heerste, met de overdreven orde van de glimmend geboende tafels van eiken en open kasten met latwerk waarachter borden waren gestapeld, een naargeestige sfeer van verlatenheid. In de langwerpige zaal met de hoge, kale muren van gele granol en de grove tegelvloer was geen mens te zien. Turend door een ander raam kon hij echter obers onderscheiden die in een zijzaal bezig waren met de toebereidselen van een diner voor een gezelschap.

Hij ging naar binnen en zocht, niet helemaal op zijn gemak, een plaats in het midden zodat hij de zijzaal kon zien. Hij bestelde koffie, keek door het raam aan de wegzijde, waar kleine spikkeltjes licht ver afgelegen boerderijen aangaven. Gedempt dreunde de misthoorn van een rijnaak.

Na een glorieuze tijd als straaljagerpiloot bij de luchtmacht had hij met zijn MO-A akte Nederlands – in zijn vrije tijd via de dienst welzijnszorg gehaald – gesolliciteerd naar de betrekking van leraar in Brummen. Zelfverzekerd was hij die eerste dag op school gekomen, een MAVO. Hij droeg een opvallend zomers kostuum, in lichtbeige, met een mosgroen lefdoekje. Hoewel die dag geen regen dreigde, had hij toch een rode paraplu bij zich.

Hij hoopte op een bijzondere tijd, had grootse verwachtingen, al kon hij die niet nader definiëren. Maar er gebeurde niets. Liever gezegd, er gebeurden slechts vervelende dingen. Collega's liepen tijdens de les langs zijn klas, luisterend of hij wel orde had, of kwamen bij rumoer onverwacht binnen. Hij voelde zich onzeker worden, de vanzelfsprekende orde van het begin verdween als sneeuw voor de zon.

Te laat begreep hij dat de school van hem die zo spontane verwantschap, die zo sektarische intimiteit en familiariteit onder collega's verwachtte. Zelfs als hij dat eerder had begrepen, had hij daar toch niet aan kunnen voldoen. Op vergaderingen werd hem in alle toonaarden voor de voeten geworpen dat hij zich vanaf de eerste dag van hen verwijderd had, dat hij zich van alles zo afzijdig hield...

Nu, terugkijkend naar die eerste tijd van zijn loopbaan, besefte hij ineens dat hij zichzelf inderdaad vanaf zijn komst als een buitenstaander had beschouwd, als iemand die er niet bijhoorde.

Tot één collega voelde hij zich min of meer aangetrokken. Zijn naam was Prins. Deze docent had een volmaakte wanorde in zijn klas. Zeker één keer per week werd hij door leerlingen buiten het lokaal gesloten. Vlak voor Coens komst had hij een hartaanval voor de klas gehad. Met deze collega sprak hij soms, als ze samen wachtliepen op het schoolplein. Prins verhaalde dan smakelijk over de leuke, intelligente leerlingen in zijn klas, over de bijzondere spreekbeurten die ze bij hem hielden. Coen was verbaasd geweest. Er waren dus mensen die zich, hoezeer ze ook slachtoffer waren, toch groot konden voordoen. Hij kreeg nog meer met hem te doen.

Coen zelf was na enige weken alle belangstelling voor collega's, leerlingen en school kwijtgeraakt, hulde zich in superieur zwijgen, verborg zo angst en vernedering. Die houding bracht een curieuze wending teweeg bij leerlingen en leraren. De eersten werden als vanzelf stil en de laatsten zochten aarzelend toenadering, die hij afwees. Nee, hij wilde bij niemand op bezoek komen.

Nog voor het einde van dat kalenderjaar mocht Prins met vervroegd pensioen, en het gemeentebestuur bood hem en zijn vrouw een etentje aan in restaurant De Luchte. Die natte, mistige avond in december schoven veertig gasten aan. Coen verwachtte het diner in alle rust, in geeuwende verveling, te kunnen bijwonen.

De tafel werd voorgezeten door het hoofd van de

afdeling onderwijs; de wethouder was verhinderd. Dit diensthoofd was een kleine boerse man. Voor hij de avond wilde laten beginnen, ging hij staan en deelde mee dat het diner op gezette tijden zou worden onderbroken door geïmproviseerde toespraken. Degene wiens naam door hem werd genoemd, moest opstaan en de jubilaris toespreken.

Het effect van die woorden was onthutsend. Het was of niets minder dan een alarmerende windvlaag over de tafels joeg. Geroezemoes verstomde op slag. Na aanvankelijke luchthartigheid heerste nu verlegenheid in het zaaltje en wie niet op de hoogte was en net binnenkwam, zou denken dat die gespannen, bezorgde stilte alleen veroorzaakt kon zijn door een ernstig ongeval. Werkelijk, alle vrolijkheid was gebannen. Maar na die eerste staat van verlamming en lethargie vervielen de meeste gasten al gauw in een gejaagde drukte. Gauw iets leuks bedenken voor het geval...

Nee, dacht Coen den Duin, eentonig zou dit etentje niet worden. Hij was banger dan wie ook. Hij durfde zijn mond nooit open te doen waar meer dan vijf mensen zwegen. In zijn diensttijd had hij wel durven praten. In de officiersmess of in de crewroom was er altijd wel één aan het woord. In deze gemeenschap waar hij net bezig was een min of meer aanvaardbaar bestaan op te bouwen... Zo, nu was hij dus onderworpen aan de grillen en nukken van die kleine ambtenaar, die nog verrukt van zijn lumineuze idee zegevierend over de tafels keek.

Niemand durfde te protesteren. Coen had wel de aanvechting om op te staan en van tafel weg te lopen, maar daarvoor ontbrak hem toch het lef.

Het was wel duidelijk dat het dineetje een dubbelzinnige activiteit ging worden, dat vanaf nu een niet aflatende waakzaamheid geboden was, dat het gehoor vanzelf tot ziekelijke scherpte zou worden opgevoerd. Coen overzag zijn situatie en kon niet tot een andere slotsom komen dan deze: na zijn triomfantelijke diensttijd was hij eerst naar deze school verbannen, en nu naar deze tafel.

Dit restaurant, omsloten door kilometers duisternis, ver weg van de gewone wereld, was een hinderlaag, een valstrik. De Luchte was een zeer ongastvrije plek.

Welke gedragslijn moest hij volgen? Zich opsluiten – wat op school een eerste impuls was geweest – in een arrogant, gemelijk mokken? Weigeren mee te doen als zijn naam werd genoemd? Het was wel verstandig om de hele avond niet de kant van de hoofdtafel uit te kijken, ieder oogcontact met het hoofd van de afdeling onderwijs te vermijden. Blijven zitten, zo onopvallend mogelijk! Terwijl het juist in zijn aard lag om voyant te zijn.

En onder deze vragen woedden dodelijke haatgevoelens; hij hoopte dat een bliksem uit heldere hemel het restaurant in vuur en vlam zou zetten, dat een vijandelijke inval meedogenloos over de tafels zou razen. Dat zat hem vooral hoog: dat zo'n hoogst banale avond in zo'n derderangs gelegenheid blijkbaar zo'n diepe woede op kon wekken. Derderangs? Tienderangs! Want uit de keuken kwamen laffe geuren en de obers brachten – hoe hard ze de saloondeurtjes ook openklapten – geen overvloedige, dampende schotels vol gebraad binnen. Een afgemeten groentesoepje met veel vetoogjes, een pezig bieflapje.

Een leuk toespraakje voor zijn beste collega Prins bedenken. Vooruit dan maar. Maar dan eerst veel wijn drinken. Om wat losser te worden. De obers schonken een glas wijn. Hij vroeg direct om een tweede. Dat kreeg hij. Hij vroeg om een derde. De obers gingen te rade bij de hoofdtafel. Nee, er mochten niet meer dan twee glazen geschonken worden.

Wat viel er over de jubilaris te melden? Veertig jaar

ordeloosheid in de lessen. Een hartinfarct voor de klas. Oprichter van de plaatselijke PvdA. Een tijdje voor die partij gewestelijk bestuurder. Dat was alles, weinig verheffend. En al die aspecten werden min of meer weggemoffeld, en dus des te pijnlijker, of direct door anderen aangesneden. Had Coen daarover iets willen zeggen, alle gras was hem al voor de voeten weggemaaid.

Hij besloot een bijzondere toespraak te houden wanneer het zijn beurt was. Hij zou Prins ten voorbeeld stellen aan de andere collega's, die zo vreselijk zelfverzekerd voor de klas stonden, zo fantastisch domineerden over de jeugd. Prins' lijdzaamheid stellen tegenover hun arrogantie, zijn zachtmoedigheid tegenover hun kwalijke, vileine opschepperij. Enzovoort.

Met dit gepieker ging de avond nog snel voorbij, was het etentje afgelopen voor hij er erg in had. De tafelvoorzitter stond al op om om stilte te vragen. Maar hij had geen beurt gekregen, men had hem overgeslagen. Dat was vernederend! Kwam hij van allen niet het meest in aanmerking om hier iets te zeggen, hij die als enige iets van medelijden met collega Prins had gevoeld? Hij liet zich niet zomaar aan de kant schuiven! Met wie dachten ze eigenlijk van doen te hebben?

Op het moment dat het hoofd van de afdeling onderwijs net zijn mond wilde opendoen, kwam Coen den Duin overeind, voelde wel het beven van zijn voeten op de tegelvloer, riep toch dat hij ook heel graag het zijne over de jubilaris had willen zeggen.

Tegelijk overzag hij met één blik de met stomheid geslagen tafel. Zijn heftige woorden riepen een vijandige stemming jegens hem op. Met een vaag glimlachje om zijn mond stond hij daar. Zijn lachje, zijn gestalte, ze waren beledigend, een directe provocatie. De anderen zaten daar, onder hem, als versteend.

'Gaat u toch alstublieft zitten, meneer Den Duin.' Alle gezichten, voor zijn gevoel heel ver weg, stonden gespannen, alsof ze bij een echoput aan het luisteren waren. Uitgesproken afkeer lag op die gezichten; hij bevond zich tegenover een muur van vijanden.

'U heeft op school al genoeg last veroorzaakt...' vervolgde het hoofd van de afdeling onderwijs.

Coen dacht: Ze kunnen allemaal doodvallen. Er lagen snierende woorden op zijn lippen. Wat wilde hij die hersenloze stomkoppen graag verpletteren met zijn verachting; zijn afschuw van deze gemeenschap tilde samengebalde woede in hem omhoog, die een uitweg zocht, die hem even van de wijs bracht, hem de adem benam, zijn mond kurkdroog maakte. Maar hij hervond zichzelf en keek gefascineerd naar het geweld dat op uitbreken stond, haalde ruimer, gelijkmatiger adem. Even plotseling als een verblinding, in een roes die niet door wijn werd veroorzaakt, kwam hij op het diensthoofd af, gaf hem, bijna speels, een klein zetje, sloeg hem toen zonder enige reserve op zijn door angst verstrakte mond. Met stoel en al viel de man achterover. Na dit onbeteugeld geweld ontkwam Coen in de verwarring.

Ja, dat was een lawaaiig optreden geweest, die donkere namiddag. Terwijl grind wegspatte, reed hij de parkeerplaats van restaurant De Luchte af. Die uitbarsting had hem het voorgevoel gegeven – een sterk voorgevoel – dat de toekomst nog veel aangename verrassingen in petto hield, en nauwelijks nog nieuwsgierig naar de situatie die hij had achtergelaten, geloofde hij zelfs hartstochtelijk dat die moeiteloze gewelddaad op behaaglijke wijze over zijn leven had beschikt.

Ereprijs

1

Rookten nog onbeperkt sigaretten (wie zou het toen in zijn hoofd gehaald hebben om de leraarskamer rookvrij te maken?), droegen nog keurige kostuums, baden aan tafel, lazen uit de bijbel, en van de vrouwen op school vonden we de kleine Ankie van Looijengoed, die gym gaf aan de onderbouw, het allermooist. Zij leidde het docentenvolleybal op maandagavond, in de nieuwe gymzaal, leerde ons samenspelen, de bal hoog opzetten, hard smashen, vlak achter het net, onhoudbaar. In het jaar dat Oscar Kristelijn bij ons op het Willem de Zwijger College kwam.

Jij Ralf (het is waar, jij bent altijd keurige kostuums blijven dragen, lid van de 'Lions' hè...), jij Ankie, jij Nettie Cosijnse, jij Hannie Tellegen – gek fotovrouwtje – en jij Cora en jij... herinneren jullie je Oscar Kristelijn nog?

Jullie zullen intussen wel weten wat er gebeurd is. Maar zonder dat, zouden jullie hem ooit vergeten zijn? In het bestaan van ons allen heeft hij een rol gespeeld; van sommigen heeft hij het bestaan misschien zelfs zin gegeven. Dat zijn jullie toch met mij eens! Nu we weten hoe de dingen gelopen zijn is het gemakkelijk om te zeggen: Zoiets was ook wel te verwachten... Verlegen, in hoge mate naïef, jongensachtig uitgelaten, die Oscar Kristelijn. En grillig.

Eerste dag na de zomervakantie, in de leraarskamer. Waren aan het handen schudden, wisselden vakantie-ervaringen uit. Carnac, Carnac Plage, Sarlat, et cetera. Bruinverbrand allemaal. Ook Hannie Tellegen schudde handen, huilde; al dertig jaar aan de school verbonden, secretaresse, typiste, hulp in de bibliotheek, ongetrouwd, eenzaam, vergroeid met de school, beschouwde ons als haar kinderen, die ze de hele vakantie had moeten missen. We hielden van Hannie Tellegen, maakten zoveel mogelijk aardige opmerkingen over haar kleren, vroegen waar zij in de vakantie was geweest. Hannie die altijd naar hetzelfde pension in Oostenrijk ging, haar tijd doorbracht met eindeloze wandelingen en elk jaar weer kennis maakte met een vriendelijke, goed geklede heer die zich als seksmaniak ontpopte. In die verhalen wist ze altijd op wonderbaarlijke wijze te ontsnappen; de maniak raakte haar wel aan maar haar gegil bracht ook steeds tijdig hulp.

Daar stond je. Klein, donker, gedrongen. Nette jongeman van nog geen dertig. Blazer, grijze broek, stropdas met Schotse ruit. Met een snelle beweging van je hand je kuif wegvegend, die voor je gezicht hing. Nog steeds op de drempel, nieuwsgierig, wantrouwend, een beetje bang voor die ruim honderd druk pratende, vrolijke, zo zelfverzekerde docenten, verlangend om deel van die gemeenschap uit te maken, om deel te hebben aan die gesprekken. Nog steeds aarzelde je om die grote ruimte binnen te gaan.

Rector en conrectoren namen plaats achter tafels op het podium. Iedereen in de zaal zocht een plaats. Jij vond een stoel ergens achterin. De rector hield een toespraak, citeerde uit de vele boeken die hij tijdens zijn vakantie had gelezen, hoopte dat de school de maatschappelijke ontwikkelingen zou kunnen bijbenen, hoopte op veel wijsheid bij de staf en docenten en las een fragment voor uit het Hooglied van Salomo. Daarna stelde hij de nieuwbenoemde docenten aan de vergadering voor. Na een korte levensbeschrijving vroeg hij of de betreffende docent of docente even wilde gaan staan. De een kwam schielijk overeind, de ander heel langzaam.

Jouw curriculum vitae, Oscar! Weten jullie nog wat de rector zei? Getrouwd, twee kinderen, belijdend lidmaat van de Nederlands Hervormde Kerk. Hoopt dit jaar zijn MO-B Frans te halen. Geen ervaring bij het middelbaar onderwijs. Nee, dat was geen opvallend leven tot nu toe. Zoiets hadden we, met variaties, al heel wat keren gehoord. Eerder een banale biografie.

Meneer Kristelijn! Wilt u even opstaan? Men stootte je aan. Gelach, rumoer in de zaal. Zat je te dromen? Van een ander leven? Minder gewoontjes? Wachtte je nog op nadere mededelingen van de rector? Bijzondere feiten, die getuigden van een grootser bestaan? Teleurgesteld over dit beeld? Je stond op, vuurrood, maakte excuses, met nerveuze armgebaren. 'Geen beste beurt,' zei de rector met een knipoog, 'zó afwezig al op de eerste vergadering.' Opnieuw excuses. De vergadering was vrolijk.

Acht jonge collega's dat jaar. De andere namen en gezichten waren we direct na de presentatie alweer vergeten, maar jij was Oscar Kristelijn, dat wisten we vanaf de eerste dag.

De nieuwe docenten werden na de openingsvergadering in de school rondgeleid. Bibliotheek, leerlingenkantine, gymzalen, de lokalen. Je stelde veel vragen, je verontschuldigde je dat je zoveel vragen stelde. Je had op een lagere school lesgegeven en op een kleine MAVO, je was niet meer dan vijf of zes collega's gewend. Je was verbaasd dat je op deze grote HAVO-atheneumschool was benoemd. Je voelde je heel klein op die brede trappen die naar de verdiepingen leidden, heel nietig.

Toch heeft de benoemingscommissie niet geaarzeld, na het sollicitatiegesprek. Er waren een heleboel sollicitanten voor deze volledige betrekking eerstegraads Frans; ook een aantal met jarenlange ervaring. Toen je na dat gesprek de rectorskamer verliet wisten we dat jij benoemd zou worden. Jij voelde dat trouwens zelf ook. Nooit eerder hebben we zo'n vreemd gesprek meegemaakt.

Timide kwam je binnen. Alle commissieleden gaf je een hand, maar je zag niets. (Later, jaren later heeft Cora Bekking je verscheidene keren gevraagd of jij je haar echt niet meer herinnerde.)

De rector stelde de bekende vragen over studie, gezin, godsdienst. Eerst durfde je nauwelijks een mond open te doen, maar toen het punt godsdienst aan de orde kwam, werd je zekerder van jezelf. Je had daar een heel duidelijke mening over: je kinderen wilde je een christelijke opvoeding geven, je noemde jezelf een gelovig christen, enzovoort. Het leek er zelfs een beetje op of jij nog maar als enige aan het woord was, of jij het gesprek leidde. Ten slotte vroeg de rector op welke politieke partij je het afgelopen jaar had gestemd. Als je niet wilde, hoefde je die vraag niet te beantwoorden. Maar je was gretig, zei direct: 'Antirevolutionair.' En toen kwam het er zelfs van dat jij, tot grote hilariteit van iedereen, vragen aan de rector en de andere commissieleden stelde. Toch, toen je voor het eerst door die grote school liep, zonk de moed je in de schoenen.

Later heb ik daar vaak aan terug moeten denken. En ook aan het feit dat Laura nog geen twee dagen na de benoeming de rector opbelde om te zeggen dat haar man van de benoeming wilde afzien, dat hij zelf dacht volkomen te zullen mislukken, dat hij toch maar liever op zijn kleine MAVO bleef omdat hij dan wist wat hij had en omdat het Willem de Zwijger een groot, diep, donker gat was... Drie keer heeft de rector tijdens de vakantie een gesprek met Oscar gehad. Heus, meneer Kristelijn, wij weten wie we in huis halen. En: wij vergissen ons zelden.

2

In de eerste week al werd Oscar door Ralf Vollaard aangesproken. Oscar had een tussenuur en zat in de leraarskamer. Ralf: lang, klein rond hoofd, golvend dun haar, uitgegroeid en over een kale plek gekamd, toen al. Stelde zich aan Oscar voor, ging bij hem aan tafel zitten en zei zonder overgang: 'Ik feliciteer je met de wijze waarop je je presenteerde tijdens de openingsdag.'

Was dat een grapje van die Ralf? Oscar wist eerst niet hoe hij moest reageren op die woorden, zei dat hij zich nog een beetje schaamde... Ralf ging niet op zijn verontschuldigingen in, zei dat zijn vrouw in de vakantie jarig was geweest. Ze wilden dat volgende week met enkele goede vrienden vieren. Hij nodigde ook Oscar en zijn vrouw uit.

Oscar gevleid natuurlijk. Ralf die hem uitkoos voor een partijtje met een select gezelschap vrienden. Ralf die in Amsterdam aan de universiteit Engels had gestudeerd. Een doctorandus! Ook iemand die tijdens de openingsvergadering vaak het woord had gevoerd en zelfs het beleid van de staf had durven kritiseren. Daar zou Oscar nooit de moed voor hebben; hij keek tegen alle gezag op.

Oscar antwoordde dat hij heel graag met Laura wilde komen, dat zijn moeder op de kinderen zou kunnen passen.

Ralf zei ook nog dat Oscar altijd welkom bij hem was, behalve op dinsdagavond, want dan had hij de 'Lions'. Ralf en zijn 'Lions'! Oscar had nog nooit van die elitaire herenclub gehoord. Toen zweeg Ralf lange tijd, lachte in zichzelf, boog zich naar hem toe: 'Je weet misschien dat ik bezig ben met een artikelenserie voor het *Weekblad.* Jij kent de verschillende geledingen van het onderwijs. Zou jij die artikelen, voor ik ze aan de redactie stuur, willen doorlezen! Op jouw oordeel stel ik grote prijs.'

'Natuurlijk,' zei Oscar, hoewel hij nooit belangstelling had gehad voor onderwijstheoretische vraagstukken. Maar hij was verbaasd dat Ralf Vollaard, een doctorandus, een echte debater, zo'n groot vertrouwen in hem stelde, hem er tussen al die anderen uit had gepikt.

Een week later, vrijdagavond. Een drive-in-woning. In de woonkamer een stuk of zes echtparen die met elkaar stonden te praten. Bijna allemaal van buiten school, zo zei Ralf. Er klonk muziek van Simon & Garfunkel. Op een tafeltje een stapel *Observers,* nog in hun wikkels, een oranje vaantje op een houten sokkel van de 'Lions', boeken en een reproductie van Van Gogh zonnig aan de wand.

'En de christelijke kerk?' vroeg iemand.

'Ik zou het zo verdomd graag willen geloven,' zei een ander. 'Alles, een heel klein beetje maar. Ik doe het voor één zo'n vat water dat in wijn verandert. Een half vat. Een glas desnoods.'

'Geloof het dan!'

'Ik kán het niet meer...'

De rest hoorde Oscar niet, want Ralf ging hem voor de trap af naar de tuinkamer. Schrijfmachine met een vel papier. Ralf draaide het vel eruit, las Oscar de titel voor. 'Hoogbegaafden, een vergeten groep.' Ralf lachte in zichzelf, of tegen zichzelf. Zelfvoldaan. Zei dat de school, ook het Willem de Zwijger, zich vooral op middenmoot en zwakken richtte. De hoogbegaafden kwamen te kort. Zijn vrouw riep of hij een krat bier uit de garage wilde meenemen.

'Ik kom het artikel langsbrengen als het af is.'

Oscar hielp hem met het kratje bier.

Boven sprak een jonge vrouw met donkere krullen hem aan. 'Ik had de hele avond al met je willen praten. Je bent steeds in gesprek.' Oscar had de indruk dat hij zelf de hele avond op zoek was naar een gesprekspartner. De jonge vrouw heette Nettie Cosijnse. 'Je bent nieuw op het Willem de Zwijger, hè? Ik heb het net van Ralf gehoord.' Oscar vroeg of zij ook lesgaf. Nee, zij deed Nederlands in Utrecht, maar ze schoot niet op. Ze lag het liefst de hele dag thuis op de bank naar muziek te luisteren. De nocturnes van John Field, kende hij die? Mooier nog dan Chopin! Ze vond het zo knap van Oscar dat hij kon studeren naast een baan.

Oscar zag de trouwring aan haar vinger. Ze wees op een man die veel ouder was dan zij, een chemicus die op het zuivelinstituut werkte.

Ze stonden nog steeds in het glazen halletje van de drive-in, boven aan de trap. Zichtbaar vanuit keuken en woonkamer. Ralf, ver weg, zat in zijn leren fauteuil; prees hij het gymnasium aan? Wilde er iemand passeren, dan ging Nettie Cosijnse dichter tegen Oscar aan staan. Oscar rook haar lichaam. Het rook anders dan het lichaam van Laura. Flarden van een gesprek. '...Oosterse renaissance... Die Fortmann wil een synthese van westerse en oosterse cultuur... Hier zijn we te intellectualistisch...' Oscar dacht: Ik ben blij en ik ben dankbaar. Waarom? Omdat ik geen simpele onderwijzer gebleven ben. Ik verkeer onder intellectuelen. Ik heb Fortmanns boekje ook gelezen, maar ik had geen collega's met wie ik erover kon praten. Op het eerste het beste feestje waar ik kom is Fortmanns studie onderwerp van gesprek. En Nettie Cosijnse staat dicht bij mij. Er wordt naar ons gekeken. Ik heb te veel rode wijn op om me van Nettie los te maken. Het is beter om nu naar Laura toe te gaan of met iemand anders een gesprek te beginnen.

Oscar had het gevoel van verdoving dat altijd volgt op het passeren van een trein. Ergens hoorde hij: 'Ik stel mij God voor als een man zo oud dat elke dag hem volmaakt blij maakt.'

Oscar zei tegen Nettie: 'Ik studeer op dinsdagavond meestal in het Frans Instituut in Utrecht.'

'Ik denk erover mijn studie op te geven,' merkte Nettie op. 'Ik wil parachutiste worden of iets dergelijks.'

'Ik ben jachtvlieger geweest,' zei Oscar. 'Ik vloog met een Hunter, een vliegtuig dat objecten van lage hoogte fotografeert, tot twee meter boven de grond...'

De waarheid was dat Oscar voor zijn nummer bij de luchtmacht had gediend, maar in een administratieve functie.

Laura raakte hem aan, zei boos dat ze al een hele

tijd stond te wachten. Iedereen ging al weg. Het was opeens stil in het glazen halletje. Het was opeens overal stil. Net of de stilte op wacht stond. Het leek een beetje of Oscar zichzelf naar buiten moest dragen. Oscar en Laura fietsten naar huis. Donkere hemel achter krijtwitte stammen van berken; een open mond die geluidloos iets riep.

3

Nauwe straten, een overdekte markthal, een muziektent met gietijzeren koepel – wat afzijdig een pleintje met linden – en aan het enkele spoor dat zich dwars door de bebouwde kom slingerde en dit plaatsje met Amersfoort verbond, café Martkzicht. Het had een terras met tafels waarin groen-witte parasols staken en op de afscheiding met het trottoir stonden hoge witte bakken met rode geraniums. Marktzicht had de reputatie tussen de middag een stevig maal te serveren. Vertegenwoordigers deden het aan. Het café was op zondag gesloten.

Aan de voet van de heuvel, niet ver van de school, lag de Nederlands Hervormde kerk. Rijzige laat-gotische kruiskerk, vijftiende eeuw, stond in vergulde letters op een plaquette naast de hoofdingang. Achter de heuvel begon de hei en naar het zuiden toe, tot aan de grens van de horizon, zag je flats en een industrieterrein.

Oscar liep met zijn zoon en dochter het kerkpad op. Het kwam niet in zijn gedachten op een zondag over te slaan. Hij droeg het donkere kostuum dat hij zondags altijd aan had en dat hij zich vijf jaar geleden voor zijn vaders begrafenis had aangeschaft. Hij zette de kinderen af in de consistoriekamer waar de zondagsschool werd gehouden.

De dominee begroette de kerkgangers met een handdruk. Oscar voelde zich al opgenomen in een orde groter dan die van de zintuiglijke waarneming. Vanbinnen was de kerk verblindend wit, zonder enige versiering. Niets dat afleidde van *de dingen waar het om ging*, zoals zijn vader zei. Geen divertissement, zoals Pascal dat had genoemd.

Oscar kon nooit een kerk binnengaan zonder te bedenken dat hier al eeuwenlang mensen naar Gods woord hadden geluisterd en Zijn lof hadden gezongen. De oude muren zweetten gebeden uit. Hij kon hier nooit zijn zonder te denken aan alle ontslapenen die vóór hem hadden gebeden en rondom deze kerk waren begraven. Die graven had men allang van gemeentewege geruimd, de namen van de overledenen wist niemand meer, maar hun zielen waren in de hemel. Aan dat geloof bleef hij vasthouden.

Oscar ging op de laatste rij zitten, direct aan het middenpad: als de preek begon, verliet hij de kerk meestal om een eindje te gaan wandelen. Hij hield niet van exegese, de eindeloze herhalingen waarin de predikant altijd verviel.

Hij sloeg zijn psalmboek open en las op het schutblad de woorden die zijn vader daarin had geschreven bij zijn achttiende verjaardag: *En gedenk de dagen uwer jongelingschap, eer dat de kwade dagen komen en de jaren naderen van dewelke gij zeggen zult: ik heb geen lust in dezelve.* Prediker 11:12. Voor Oscar lagen die kwade dagen nog in een ver verschiet. Zijn kinderen moesten nog groot worden; hij moest zijn studie nog afmaken. Hij, Oscar, pas achtentwintig. Aan het begin van zijn carrière. Oscar zocht de openingspsalm op, die was aangegeven op het geverniste houten bord.

Laura ging nooit mee. Na het ontbijt, dat ze samen genoten, ging zij met een boek terug naar bed. (Oscar stond erop dat zijn hele gezin op zondagmorgen samen was, geloofde dat hij zo handelde in de geest van zijn overleden vader; hij had niet anders willen handelen.)

Introïtus. De gemeente stond. Zong psalm 25:2. *Heer, ai maak mij uwe wegen, door uw Woord en Geest bekend.* Oscar neuriede soms een paar woorden mee. *Léé-éér mij hoe die zijn gelegen en waarheen G'uw treden wendt...* De gemeente ging zitten. De predikant vouwde zijn handen voor het gebed. De wijde mouwen van zijn toga waren zwarte zeilen en Oscar geloofde, wilde graag geloven, dat daar, hoog boven de verzamelde gemeente, de Engel van het oude Verbond zweefde.

Oscar boog zijn hoofd, met alle anderen, en sloot zijn ogen. Terwijl de predikant bad voor de wereld en haar noden, dacht Oscar aan Laura, zijn beide kinderen, zijn moeder. En aan zijn voor altijd dode vader. Die vriendelijke bloemist, met zijn heldere, heel lichtblauwe ogen, in zijn oude manchesterbroek, die altijd slobberig om zijn benen hing. Een man, zo zachtmoedig dat hij zich voor zijn klanten verstopte: hij hield er niet van bloemen af te snijden.

Het is bekend dat de zachtmoedigen het aardrijk niet zullen beërven. Zijn vader was, ondanks alle tegenslagen, nooit opstandig geweest. Op een dag had een klant hem dood in zijn broeikas aangetroffen, gestikt door de giftige dampen van de rokende nicotinehoopjes, die hij zelf had aangestoken om de bladluis van de gloxinia's en pijpjes lak te verdelgen. Over die absurde dood kon Oscar nog steeds niet uit.

Onder het gebed zag hij zijn vader, zittend aan Gods rechterhand, nog met *grondhanden* van het verpotten, maar zonder zorgen voor het bedrijf, voor eeuwig behouden.

De predikant kondigde de komst van de zondagsschool aan. De kerkgangers in spé mochten hun gaven brengen. Hij zag zijn beide kinderen terwijl ze over het donkerrode tapijt liepen. Marijke had het mooie, langwerpige gezicht en de bruine ogen van Laura, Sander de lichtblauwe van zijn opa. Nu legden ze hun geld op de zilveren schaal die de diaken hun voorhield. Oscar kreeg bijna tranen in zijn ogen.

Oscar hoopte zijn kinderen het geloof mee te geven. Na vaders onbegrijpelijke dood had hij met dat geloof willen breken. Hij had het niet gedurfd en was naar de kerk blijven gaan. Met Laura's instemming waren zijn beide kinderen gedoopt.

Dominee zegende de gaven en de kinderen gingen terug naar de consistoriekamer. De preek begon en Oscar sloop het gebouw uit, volgde in het ongewoon heldere licht van die ochtend het kronkelige pad tegen de heuvel, tussen de trapsgewijs oplopende akkers.

Hij draaide zich om, stak een sigaret op. Het kleine stadje leek ingeslapen. Nee, nu drongen vanuit de vallei beneden hem afzonderlijke geluiden door die toch een vluchtig vermoeden van leven en activiteit gaven. Geblaf van een hond, een startende auto, galm van de kerkklok die sloeg, en ineens hanengekraai.

Ontroerd luisterde hij naar die dorpse klanken. Een vlaag dampige warmte die opsteeg uit het dal bracht het maïs op de akkers een beetje in trilling. Wat lag de plaats daar toch in superieure rust!

Toen zag hij, tussen kerk en heuvel, een zwart stipje dat snel groter werd. Hij vermoedde wie daar liep, met haar fiets aan de hand. Daar ging Nettie Cosijnse. Oscar volgde haar met zijn ogen.

Hij wachtte rustig op de kinderen die ongeveer gelijk met de kerkgangers naar buiten zouden komen. Daar waren ze. En even later tilde hij ze hoog boven zich om de beurt van de grond. Marijke, Sander. En Oscar. Samen liepen ze de heuvel af. Terwijl de gemeente *'t Heimwee naar haar gouden straten kan mij nimmermeer verlaten* zong, gingen de kerkdeuren open.

4

Oscar bereidde zich voor op een moeilijk tentamen Oudfrans. (Rîdere-rîdere-rire; vître, voirre-verre.)

Op een middag in oktober deed hij examen in het Tivoligebouw in Utrecht. Na afloop stapte hij een café op het Janskerkhof binnen. Hij ging nog niet naar huis, studeerde die avond in de bibliotheek van het Frans en Occitaans Instituut.

Tegen halfnegen kwam Oscar naar buiten, dacht aan zijn huis, aan zijn studeerkamer, aan Laura die hij wilde vertellen hoe de dag verlopen was. Nettie wachtte hem op. Hij kon niet meer terug het gebouw in, ze had hem al gezien. Stom dat hij niet eerst door het ruitje van de deur gekeken had!

'Jij hier!' Blij verrast, die Oscar. Zei dat hij haar half en half verwacht had, sloeg een arm om haar heen, alsof ze twee geliefden waren.

'Eindelijk,' zuchtte Nettie. Ze pakte zijn hand, kneep erin. Toen besefte Oscar dat Nettie al vele dinsdagen hier op hem had staan wachten. Hij verontschuldigde zich. Zij zei dat dat niet nodig was. Ze hadden toch niet echt iets afgesproken? Dat was ook waar.

'Maar toch,' zei Oscar. 'Jij stond hier maar te

wachten en ik kwam niet...' Ze waren als vanzelf wat gaan lopen en kwamen bij de fontein, achter het schip van de kerk. Ze omhelsden elkaar, raakten elkaar met hun wangen. Oscar keek over haar schouder naar zijn geparkeerde Renault Dauphine, zag het café waar hij na zijn tentamen iets had gedronken. Nettie zocht zijn lippen, fluisterde 'lieve Oscar'.

Een golf van angst spoelde over hem heen, een angst die maar langzaam wegebde, toen overging in berekening. Nettie was een knap meisje, maar hij hield alleen van Laura. Hij stelde Nettie voor om iets te gaan drinken.

Ze liepen in de lauwe avond onder de bomen van het plein. Passeerden zijn Renault Dauphine. Het vertrouwde interieur, verlicht door een straatlantaarn, deed hem nog meer naar huis verlangen. Hij had al bijna thuis kunnen zijn.

In het café bestelde hij twee rode wijn. 'Om ons weerzien te vieren.' Hij klonk met haar, pakte haar hand. Op de avond van Ralf Vollaard was het gesprek vanzelf gegaan. Wat moest hij toch tegen haar zeggen? Hij kon haar zijn examenopgaven laten zien. Zelfs voor de moeilijkste opgave had hij waarschijnlijk een oplossing gevonden: *chute* als compromis van het Oudfranse *chëue*, afkomstig van *ca-*

dutu, en van het Oudfranse *chëoite*, afkomstig van *caduta*.

Nettie stond op om naar het toilet te gaan. Hun glazen waren leeg. Hij vroeg haar of hij nog eens hetzelfde zou bestellen. De ober bracht weer twee glazen rode wijn. Oscar begon hevig te transpireren, legde een briefje van vijfentwintig op tafel, mompelde iets onduidelijks, iets heel ongearticuleerds tegen de barkeeper, stond op.

'Zo terug,' riep hij; de barkeeper reageerde niet, keek hem alleen maar aan. Oscar rende gebogen, uit het licht van straatlantaarns, naar zijn auto.

Thuis wachtte Laura. Hij liet haar zijn opgaven zien, zei haar dat hij dacht wel een voldoende te hebben, dat hij dit jaar zijn MO-B Frans wel zou halen.

'En dat met een volledige baan,' zei Laura. 'Ze hebben bewondering voor je op school.' Ze ging naar de keuken om iets voor hem te maken, hij zou wel honger hebben. Oscar lachte onwillekeurig. Laura was een mooie, zachte, bruinharige vrouw, met de stevige borsten en de fraaie enkels van een jong meisje. Hij volgde haar met zijn blik en zag ook dat meisjesachtige in die tastende manier van bewegen, alsof in de lucht om haar heen overal onzichtbare sluiers hingen.

'Laura,' zei hij. Ze bleef staan, een beetje verontrust door zijn toon en zijn lachje. 'Raad eens wie ik vanavond nog gezien heb?'

'Ik hoef niet te raden. Die Nettie Cosijnse natuurlijk.' Haar koele, scherpe toon, die ze soms gebruikte op het moment dat de intimiteit van hun halfverlichte, door goed dichtgetrokken gordijnen van de buitenwereld afgeschermde slaapkamer net genoeg kracht leek te hebben om hen beiden boven hun remmingen uit te tillen, wekte altijd irritatie bij hem op. Nu werd hij boos. Hij probeerde juist alles eerlijk te vertellen, hoewel hij niet van plan was haar te zeggen hoe hij zich van Nettie had afgemaakt. Maar hij wilde in principe eerlijk zijn, laten zien dat hij alleen om Laura gaf.

Zij maakte zijn eerlijkheid belachelijk. Hij voelde zich betrapt, dwaas, minderwaardig. Zijn stem kon hij op dit moment eigenlijk niet gebruiken. Die zou dun, trillerig klinken. Hij zou zwijgen.

'Hoe denk je dat ik me voelde op die avond bij Ralf Vollaard,' zei Laura terug.

Op die avond was nooit meer een toespeling gemaakt. Oscar ging naar boven, douchte zich, kwam in zijn pyjama beneden. Anders was dit het gezelligste moment van de dag. Hij raakte Laura even aan.

'Die Nettie heb ik te verstaan gegeven dat ik niets voor haar voel. Ik wil hier geen ruzie over, alsjeblieft. Ik kwam juist heel vrolijk thuis.'

'Goed,' zei Laura. 'Raad eens wie hier vanavond geweest is?' Haar stem klonk weer normaal. Hij noemde namen van een paar vakcollega's.

'Nee, de vrouw van de rector. Ze deed zo gewoon, helemaal niet verwaand, deed op een gegeven moment zelfs haar schoenen uit, ging met haar blote voeten onder zich op de bank zitten, alsof ze hier al jaren kwam. Er is een Willem de Zwijger Vrouwenclub. Ze vroeg of ik lid wilde worden. De WZVC organiseert avonden.'

Hij keek Laura verrukt aan. Zoveel contacten hadden ze nog nooit gehad. Feestjes, vrienden, vriendinnen. En de rector was zelfs gepromoveerd, als enige op school. Wat een middelmatig geploeter op zijn vorige school daarbij vergeleken! Oscar geloofde die avond dat zijn school een hoger soort gemeenschap was, en dat zij beiden daar deel van uitmaakten. Vooruitkomen, zich onderscheiden, daar ging het toch om? Dat was het pas voor Oscar. Al die jaren studie waren alleen daarom al zinvol geweest.

5

Volley op maandagavond. Met Ralf Vollaard, met een van de conrectoren zelfs, met anderen, onder leiding van Ankie van Looijengoed, die altijd meespeelde omdat er te weinig spelers waren. Zoiets begreep Oscar niet. Dat er niet meer docenten meededen. Hebben jullie gezien hoe hoog Oscar de bal opzet, hoe loepzuiver hij smasht? Klein van stuk, maar hij springt aan het net hoger dan al die lange kerels bij elkaar, vangt in het achterveld de gekste ballen op, eigenlijk is hij blij als er te weinig spelers zijn. Des te meer moet hij lopen. Lenig, gulzig, rap. En als hij eens mist en hij krijgt de bal voor zijn voeten, dan schopt hij hem quasi boos, in grote opwinding, zo hard mogelijk (of niet, Ralf? of niet, Ankie?) tegen het plafond, waar de katrollen van de touwen hangen. Nerveus, altijd in beweging. De onrust lijkt hem ingeschapen. En als de bal op het podium komt, achter de coulissen, is Oscar Kristelijn de eerste die hem gaat halen. Het volleybal zoals wij dat speelden, met zoveel misslagen, was natuurlijk veel te tam voor jou. En hebben jullie gezien: als er voor hem wordt geapplaudisseerd, voor een erg mooie bal, dan buigt hij zijn hoofd, lijkt geen raad te weten met dat applaus, quasi onverschillig. Maar ik zag dat hij, afgewend, op zijn nagels blies en zijn nagels tegen zijn shirt wreef en in zichzelf lachte, gelukkig. Gelukkig! Wat zette je een aanval mooi op! Je mooie reddingen, vallend.

Na het volleyen. Liepen onder de dubbele rij linden van het oude rechthoekige marktplein, langs de overdekte markthal, de muziektent, waarvan hekwerk en koepel toen al rotten, naar café Marktzicht. Het was een curieus gebouw, met zijn platte dak, zijn donkere muren, tussen het enkele spoor en het sombere marktplein ingeklemd. Op de vloer werd dagelijks vers zand gestrooid. Charmant café, met zijn nikkelen kassa die rinkelde als de caféhouder aan de hendel draaide en de geldla met een schok naar voren schoof, met zijn kroonluchters, zijn spiegelpanelen.

Oscar zei heel weinig, luisterde liever. Ralf Vollaard voerde meestal het woord. Prees het gymnasium aan, vroeg aandacht voor zijn hoogbegaafden, zei dat hij met de minister in de slag ging over de middenschool.

Soms liep het volleybalavondje uit. Het café was al gesloten. We maakten de touwen los waarmee de opgestapelde terrasstoelen waren vastgebonden, en het is voorgekomen dat we er nog zaten als de eerste leerlingen al weer naar school fietsten. Waar spraken we over? Ralf beweerde dat er geen beroepsgroep met zoveel intellect bestond als die van de leraren aan een middelbare school, maar dat er ook geen beroepsgroep was waar zoveel intellect braak lag. Vroeger, beweerde Ralf, bekleedden leraren ook functies in het maatschappelijk leven en publiceerden ze op hun vakgebied. Ralf had ook kritiek op de leiding van de school, die hij vaagheid verweet. We zijn toch een christelijke school? Dan ook bidden voor de les begint. Een progressieve school? Dan ook meer aandacht voor muziek, en normen aanscherpen. Het Willem de Zwijger wilde volgens Ralf alles tegelijk zijn.

Oscar luisterde. Als zijn mening werd gevraagd, redde hij zich er met een vaag zinnetje uit: 'Wat Ralf net zei, daar zit wel wat in...' Hij heeft me later vaak gezegd dat hij met heimwee aan die nachten terugdacht, aan het oude marktplein, aan de bomen waaronder het langzaam licht werd, aan de eerste treinen die passeerden, bijna leeg, met trillende lichten.

Van dat alles is niets meer over. Wie zou nu nog kunnen zeggen waar café Marktzicht exact gelegen heeft? En jij, Oscar Kristelijn, jij genoot... Vrienden, vriendschap. Vanaf welk moment hebben de dingen een andere wending genomen?

Die vechtpartij tijdens het eerste wisseldiner dat je meemaakte, heeft er, denk ik, weinig mee te maken. Wel hebben we Oscar toen voor de eerste keer driftig zien worden. Inbleek werd hij, hij kon absoluut niet meer uit zijn woorden komen.

Tijdens dat wisseldiner (een nouveauté, geïntroduceerd door een staflid dat een tijdje in Amerika had gedoceerd) was Laura gastvrouw en ze had het op zich genomen om bij hen thuis de hoofdmaaltijd te serveren. Andere gastvrouwen van het WZVC deden voorgerecht of dessert. Na elke gang ging het gezelschap uiteen. Men trof elkaar elders in een andere samenstelling. Doelstelling: bevordering van de eenheid onder het personeel van de school.

We zagen Oscar binnenkomen, alleen. Om het dessert in het huis van een vakgenoot te gebruiken. Alle stoelen waren bezet, op een na. Op die stoel wilde hij gaan zitten. Iemand legde zijn hand op die stoel en zei dat hij bezet was. Oscar keek heel verbaasd, begreep hem eerst niet. De man die dat deed, kenden we niet. Later hoorden we dat het de vriend van een tussentijds benoemde tekenlerares was. Eigenaar van een sportschool en karatespecialist. 'Zo,' zei Oscar, zacht, meer in zichzelf. Hij stond daar wat onbeholpen midden in de volle kamer, een beetje dwaas. Weggaan, naar een ander vertrek, betekende een nederlaag. Maar hij moest iets doen. Nog steeds die grote sterkbehaarde hand op de stoel. 'Zo,' zei Oscar, nog zachter, 'ik mag daar dus niet...' Meer kon hij niet uitbrengen; we wachtten allemaal af. Het leek of Oscar diep nadacht. Toen gaf hij de onbekende, onverwacht, met de volle hand, zonder reserve, een klap in zijn gezicht. De man, een hoofd groter dan Oscar, verloor zijn evenwicht, viel van de stoel. En hij bloedde, hè Ralf? hè Ankie? hij bloedde, nee echt, zijn hele gezicht zat onder het bloed. En wat er toen gebeurde(Weet jij het nog, Ralf? Denk je nog weleens aan Oscar Kristelijn, nu je zelf alweer enige jaren rector van een klein gymnasium bent?) Oscar liep op de sportschoolhouder toe, wilde doorgaan met slaan, was zijn zelfbeheersing volkomen kwijt. Wij hebben hem van achteren beetgepakt en naar een zijkamer gebracht. Hij trilde, mompelde onophoudelijk dat hij hem wilde doodmaken. Maar toen uit de huiskamer het bericht kwam dat ook de karateman met de grootst mogelijke moeite werd tegengehouden, dat hij je te lijf wilde gaan, dat hij brieste als een leeuw, dat zijn vriendin hem probeerde te kalmeren, werd Oscar bang.

Ankie van Looijengoed kwam kijken hoe het er met Oscar voor stond.

'Zag je hoe ik hem raakte?' vroeg hij Ankie. Hij trilde nog steeds.

'Ja, ja,' zei Ankie.

Oscar was tevreden. De held van de avond.

6

Oscar liep door de gang. In het vak vergrijsde docenten zeiden tegen elkaar: 'Dat is een goeie, die kleine donkere daar, die altijd haast heeft. Hij heeft de wind eronder.'

Een collega Frans, tevens districtsbestuurder van het Genootschap van leraren, hing een affiche op in de leraarskamer. Op het affiche was een vuist afgebeeld. De minister wilde lestabellen, salarissen aantasten. De leraren moesten zich sterk maken, zich organiseren. De collega vroeg of Oscar ook lid van de lerarenvakbond wilde worden.

'Ik zal erover nadenken, ik heb over twee dagen mijn laatste tentamen, nee, zeker, ik zal er zelf op terugkomen...' Zo redde hij zich er voorlopig uit.

Oscar deed zijn laatste tentamen. Het literaire opstel. De uitslag van dit lastige onderdeel zou hun per post worden toegezonden. Oscar gaf les in lokaal 95. Hij werd door de conciërge opgeroepen via de intercom. Laura was aan de telefoon. Hij zette de klas aan het werk. Laura zei dat er een brief van de examencommissie was gekomen. Ze maakte hem open terwijl Oscar gespannen wachtte. Hij was geslaagd.

'O, Laura, begonnen als de meest middelmatige ulo-leerling en nu eerstegraads leraar Frans. Wie had dat ooit gedacht?'

Diezelfde avond kwamen veel collega's, veel leden van Bestuur en Curatorium op het feestje dat Oscar en Laura gaven. Iedereen was er, iedereen tegen wie Oscar opkeek. Bloemen, flessen wijn; Marijke en Sander mochten opblijven, gingen met schalen rond. Zijn moeder was er. Ralf Vollaard feliciteerde haar met haar knappe zoon. Omdat hij wist dat Oscars vader een kleine bloemkwekerij had bezeten, vertelde hij dat zijn vader fruitkweker was, een van de grootste fruitkwekers van Zeeland. Hij vond dat Oscar een typisch voorbeeld was van de 'self-fulfilling prophecy', Oscar was vroeger naar een school gestuurd die ver beneden zijn kunnen lag en hij had alleen voldaan aan de geringe eisen die aan hem gesteld werden. Voor begaafde kinderen als Oscar zouden aparte scholen moeten bestaan.

Het feest duurde tot lang na middernacht. Oscar was het stralend middelpunt. Maar als hij even gemist kon worden, liep hij naar buiten, keek de straat af. Aan weerszijden, van begin tot eind, auto's. Op het trottoir, tegen de berken, fietsen. Tot drie keer toe is hij die nacht alleen naar buiten gegaan, om naar de glimmende daken van de auto's, naar de heldere hemel te kijken. Hij vouwde haastig zijn handen. Weer binnen sloeg hij zijn armen om zijn moeder. Jammer dat vader dit niet meemaakte. Maar zij was er wel, moeder. En daar waren zijn kinderen, ze deelden ook in het feest van hun vader. (Een dochter en een zoon. Van beide soorten een, meneer Kristelijn, had de verloskundige bij de geboorte van Sander gezegd. Meer soorten zijn er niet.) Iets zette uit, iets vloeide uit, aan de linkerkant van zijn borstkas, en Oscar besloot dat die dag de mooiste van zijn leven was.

7

Dat was het einde van het eerste schooljaar. Het nieuwe jaar. Weer feestjes, partijtjes, borreltjes. Laura's barbecuesaus werd zo fameus dat ze *Sauce Laura* werd gedoopt; *Sauce Laura* stond op een breed doek geschilderd dat over de binnenplaats gespannen was.

Waarom komen jullie niet bij ons? En bij ons? En nog kwam het voor dat Oscar hoorde dat elders een feest was gegeven waar hij niet voor gevraagd was. Ook in dat coterietje trachtte hij zich een plaats te veroveren.

Het waren allemaal zulke aardige, intelligente collega's. Het was waar wat Ralf Vollaard beweerde: in geen beroepsgroep was zoveel intellect aanwezig als bij leraren. Of het waar was, zoals Ralf ook volhield, dat er geen beroepsgroep was waar zoveel intellect ongebruikt bleef, wist Oscar niet.

Oscar woekerde in ieder geval met zijn talenten. Een doorzetter. Nu alweer met zijn doctoraal bezig, aan de universiteit van Leiden, aan het Rapenburg. Moeder zei dat koningin Juliana aan het Rapenburg had gewoond toen ze colleges in Leiden liep. En nu liep Oscar daar. Nu was hij toch nog, op bijna dertigjarige leeftijd, een echte student. Maar zonder het echte studentenleven, dat wel.

Na ruim een jaar was het alweer feest. 's Morgens deed Oscar zijn doctoraal. Laura, moeder en de kinderen wachtten op hem in een café aan het Rapenburg, precies tegenover het Academiegebouw. Oscar wachtte op de uitslag in het beroemde zweetkamertje waar nu ook zijn naam ergens op de muur stond gekrast. De straat voor zijn huis stond weer vol auto's. Collega's, leden van Bestuur en Curatorium.

Mevrouw Cora Bekking sprak hem aan, een lid van het Bestuur. Ze had blond haar en haar bovenste oogleden waren lichtrood alsof ze net in de zon had gelegen. Oscar schatte haar een jaar of veertig. Hij had zijn armen vol lege flessen.

'Dit even naar de keuken brengen.'

'Beloof je me dat je terugkomt? Vorig jaar had je ook al geen tijd voor me.'

'Natuurlijk.'

In de keuken vertrouwde Ralf hem toe dat hij die Cora Bekking nou echt een mooie vrouw vond. 'Opvallend mooi, heel chic. Haar man is hoogleraar in Wageningen.' Die woorden waren voldoende om Oscars belangstelling te wekken. Ralf had gelijk. Nu viel Cora's schoonheid hem ook op. Hij ging naar haar toe.

'Je ziet dat ik mijn belofte houd.' Ze feliciteerde hem opnieuw met zijn doctoraal, zei dat ze bewondering voor hem had, zei dat ze ook aanwezig was geweest bij het sollicitatiegesprek, nu alweer twee jaar geleden, ruim. Dat herinnerde Oscar zich niet. Wel hoe hij zich had gevoeld vlak voor het gesprek: hij was een uur te vroeg met de trein in E. aangekomen.

'Maar wat ik toen voelde doet er niet meer toe.' En Oscar gebaarde druk met zijn armen. Dat was voorbij, allemaal onzin.

'Nee,' zei Cora, 'dat lijkt me juist interessant.' Oscar vertelde dat hij de nacht voor het sollicitatiegesprek geen oog had dichtgedaan, maar toen hij voor die monumentale school had gestaan, had hij zich opeens heel licht gevoeld. Arglistiger dan hij kon niemand zijn, ja, arglistig was het woord, of vermetel. Het kon hem niets meer schelen wat er ging gebeuren. Hij kon worden afgewezen, nou, dat kon hem ook al niets meer schelen. Hij moest er alleen voor zorgen dat hij genoeg weerstanden vond om dat lichte gevoel kracht te geven en hij was gaan rennen, in de richting van het marktplein. Daar was hij stil blijven staan. Er liepen een paar wandelaars onder de linden. Ze verkeerden, leek het, in een zelfde gemoedstoestand als hij. Het spoortje, het café, de muziektent, alles straalde een zekere onbekommerdheid uit. Wat was het leven toch een vrolijke zaak! Oscar geloofde dat hij het was die die hogere vorm van verdraagzaamheid veroorzaakte. De wandelaars glimlachten tegen hem en hij stond op het punt tegen hen te zeggen dat hij op het Willem de Zwijger had gesolliciteerd, dat hij zich zo dadelijk in een gesprek waar zou moeten maken. Toen keek hij op zijn horloge en bang dat hij te laat zou zijn rende hij terug naar de school, stond weer voor de hoofdingang, met een drijfnat overhemd. De overmoedige bui was een beetje voorbij. Hij voelde zich niet meer zo zelfverzekerd. De algehele vrolijkheid om hem heen leek ingezakt. De wijd openstaande ramen hadden scherpe, harde contouren, hoonden hem. Ga terug naar je MAVO-schooltje, riepen ze. Jij lesgeven op een lyceum? Toen was de rector hem komen halen.

Cora had aandachtig geluisterd, stond op het punt iets te gaan zeggen, maar Laura riep want er waren gasten die afscheid wilden nemen. Laura en Oscar zwaaiden de vertrekkende gasten uit. Laura draaide zich om om weer naar binnen te gaan, maar Oscar hield haar tegen.

'Zie je niets?'

De buitenverlichting was aan. Laura zag het nieuwe naambordje. *Drs O. Kristelijn.* Witte letters op een zwart metalen fond. Oscar had het veertien dagen geleden bij de ijzerwinkel laten maken en het in zijn bureau bewaard.

'Heel chic,' zei Laura.

'Of vind je het kinderachtig?' Hij wist niet of ze haar opmerking ironisch had bedoeld. 'Het is wel erg opzichtig, hè?'

'Nee, je verdient het toch.' Ze gingen hun huis weer binnen. Jehova's Getuigen op zondagmorgen, collectanten, onbekenden, iedereen die aan de deur kwam wist nu dat hier drs O. Kristelijn woonde.

In de gang kwam Hannie Tellegen hen tegemoet. Ze kuste Laura en Oscar, bedankte hen voor de fijne avond.

'Toch maar goed dat ik je opgehaald heb,' zei Oscar.

Eerst had ze niet kunnen komen. Op zijn vorige feest was ze ook niet geweest. Dit was voor de collega's, vond ze, en zij had daar niets te zoeken. Oscar had haar opgebeld. 'Ik wil dat je komt, Hannie.'

Ze woonde op de heuvel en had geen auto. Op de fiets durfde ze 's avonds niet. Oscar was haar gaan halen.

'Jullie zijn allebei zo lief,' zuchtte Hannie. Oscar bracht haar naar huis.

8

Volgens Ralf Vollaard, die regelmatig met nieuwe artikelen bij Oscar kwam, artikelen die Oscar altijd prees, lag het percentage dissertaties bij gymnasiumleraren het hoogst: ongeveer twaalf procent. Bij leraren op gewone middelbare scholen werd bijna niet meer gedoctoreerd.

Oscar zag zich al in het Academiegebouw. Twee, drie bussen zou het Willem de Zwijger moeten huren om alle belangstellenden naar Leiden te kunnen vervoeren. Op de voorste rij in de oude academiezaal zaten Laura, zijn kinderen, moeder, opkijkend naar hun man, vader, zoon. Geachte opponens... en weer gaf hij een bondig, subliem antwoord. *Tijdgeest en periodisering.* Dat zou de titel van zijn proefschrift worden. Oscar was al begonnen materiaal te verzamelen. Over vier, vijf jaar zou hij zijn studie kunnen afsluiten met een promotie. Dr O. Kristelijn. Weer een nieuw naambordje. Hij klom. Klom. En speelde volley op maandagavond. Ankie van Looijengoed leidde nog steeds even enthousiast als altijd. Toch waren er vaak niet meer dan acht deelnemers. Op de honderdtwintig docenten. Napraten in café Marktzicht. Ralf zei dat hij bezig was een commentaar te schrijven op een Amerikaans rapport, 'A Nation at Risk', dat de noodklok luidde over het peil van het Amerikaanse onderwijs. Amerikaanse geleerden schoten nu al te vaak te kort ten opzichte van hun Russische collega's. En wij holden, volgens Ralf, nog steeds achter dat Amerikaanse onderwijssysteem aan. Daar was de middenschool allang achterhaald. Natuurlijk ging hij, Ralf, daarover schrijven in het *Weekblad.* Oscar zou dat artikel het eerst te lezen krijgen.

Toen zei Oscar: 'Ik begrijp niet dat jij mij steeds weer jouw artikelen voorlegt. Ik heb me nooit in die problemen verdiept, ik kan weinig zinnig commentaar geven. Ik durf het niet zo goed te zeggen, maar ik heb eigenlijk geen belangstelling voor het onderwijs. Ik heb alleen belangstelling – ik weet, het is verkeerd, helemaal verkeerd – ik heb alleen belangstelling voor mijzelf. Ik voel me schuldig, maar een groot aantal zaken die mij toch hevig zouden moeten interesseren, zoals middenschool, urentabellen, salarissen, zoals ongedeeld vwo...' Nog nooit had Oscar zoveel achter elkaar gesproken. Ralf zei dat hij daarom juist zijn artikelen aan Oscar voorlegde; Oscar nam afstand en had daardoor juist een zuiverder oordeel.

'Maar jou gaat het onderwijs ter harte... jij bent met het onderwijs begaan... terwijl ik niets voel...' 'Begaan,' riep Ralf uit, 'ik wil in het centrum van het machtsspel zitten, daar waar de onderwijspolitiek wordt gemaakt...' en hij kondigde aan dat hij kandidaat was gesteld voor het lidmaatschap van het hoofdbestuur van het Genootschap.

Wij feliciteerden hem. Hij gaf een rondje. Het werd laat die keer. Oscar reed op met Ankie van Looijengoed, die in een flat aan de bosrand woonde. Bij haar huis vroeg ze of hij nog even mee naar boven ging. Ze schonk nog iets in, ging naast hem op de bank zitten. Ankie is een aardig, goedlachs meisje. Houdt van bijna alle sporten, maar turnen is favoriet bij haar. Ook Oscars favoriete sport. Je bleef maar over het turnen praten, Oscar, je was bang. Geef het maar toe. Je had beter door kunnen gaan naar huis; je had kunnen zeggen dat je nog wat wilde studeren. Dat heb je zo vaak gezegd. Ankie zit te dicht naast je, Ankie wil met je naar bed. Nu legt ze een arm om je heen.

'Ik heb honger,' zei Oscar. Ankie stond op om een boterham met kaas voor hem te maken. Hij at zijn boterham met kaas, dacht aan Laura. Ankie bleef midden in de kamer staan, ongeduldig. Ze vroeg of je haar slaapkamer wilde zien. In haar slaapkamer is de dominante kleur lila. Het bed is opengeslagen. Lila gordijnen, lila sprei. Ankie is zich al aan het uitkleden. Je wilt helemaal niet met Ankie naar bed. Je wilt met niemand anders dan met Laura. Bij Laura voel je je thuis. Jij kleedt je ook uit. Je staat naakt in Ankies kleine slaapkamer. Dit overkwam je nu zomaar, Oscar. Het was natuurlijk ook spannend. Alle collega's thuis, keurig bij hun vrouw, en jij hier, in dit lila licht, neerkijkend op Ankies wachtende lichaam. Dan toon je je heel actief. Je voelt je opeens een man van de wereld, een man die midden in het leven staat; Ankies lendenen zijn zacht onder je handen, haar warme lijf geeft je een vertrouwd gevoel, jullie tongen zijn rode spiesjes die elkaar dreigen te doorboren.

Tegelijk waren Oscars handelingen een vreemd tijdverdrijf, ze raakten hem slechts oppervlakkig en als op zichzelf staande incidenten. Zijn gedachten begonnen ordeloos door elkaar te lopen; hij slaagde er niet in ze tot dit lichaam te bepalen. Toen besefte hij dat hij niet in staat zou zijn haar te bevredigen, en hield op met strelen. Zij drong nu aan, liet hem niet meer los. Even nog dacht hij dat met haar hulp... Na enkele seconden bemerkte hij zijn vergissing. Ook

Ankie slaagde er niet in hem nog voldoende zelfvertrouwen te geven. In die ontreddering begon hij haar opnieuw te strelen, overhaast. Het effect was nihil. Hij lag roerloos naast haar.

'Och lieve Oscar, kijk niet zo beteuterd, ik ben helemaal niet teleurgesteld. Het geeft allemaal niets. Je hebt me lief gekust. Je mond vind ik heerlijk. Zal ik nog een boterham met kaas voor je maken? Wil je een glas melk?'

Laura sliep al. Oscar kon de slaap niet vatten. Laura was een onbeweeglijk blok naast hem. Hij draaide zich om, stompte een deuk in zijn kussen, ging zo plat mogelijk en languit liggen. Hij herinnerde zich uit zijn jeugd een knus, warm donker waar hij achteruit in kon wegkruipen, zoals een zachte deken voelde, een wollig speelgoeddier, regen boven zijn hoofd en stemmen beneden. Nu hij ruim dertig was, had deze prettige duisternis zich zo ver teruggetrokken dat ze niet meer te achterhalen viel, en een andere duisternis die gereed lag zou slechts onaangenaam zijn: plotseling opdoemende gezichten, volkomen onbekend en boosaardig, schoten door zijn hoofd. Hij raakte Laura even aan. Vruchteloze pogingen zich alsnog in te nestelen. Hij liep op zijn tenen naar beneden, ging naar buiten. Zo vlak voor zonsopgang waren de sterren al nauwelijks meer te zien. Het was of Oscar ze vanaf een andere aarde bekeek, waar het ongewoon stil en vreemd was. Op zijn blote voeten over het gazon lopend zag hij naar het zuiden toe, net boven de nok van zijn huis, tussen de kronen van twee berken door, een reusachtig vertrouwd sterrenbeeld. Orion, dacht hij. De toekomst, die nacht, stond dus toch nog in de sterren te lezen. Alles bestond al.

Hij bleef lang staan kijken, voelde niet dat zijn voeten ijskoud werden in het natte gras. Toen keerde hij terug naar zijn comfortabele, vrijstaande huis. Voldaan, want wat bij Ankie van Looijengoed gebeurd was had geen belang.

9

Landelijke handtekeningenactie. Lijsten in docentenkamer. Frans bedreigd vak. Harmonisatiewet. Werd de wet aangenomen, dan zou het Frans uit de brugklas verdwijnen en dus van school. Want wie zou in de tweede zo'n moeilijk vak vrijwillig kiezen? Ook docenten die geen Frans gaven, sympathiseerden met de actie, zetten hun handtekening.

De lijsten werden opgestuurd naar het landelijk comité.

Oscars handtekening ontbrak.

Landelijke demonstratie van alle docenten Frans, in de Haagse Houtrusthallen. De minister proberen te overreden alsnog van zijn plan af te zien. Een bus vertrok van het Willem de Zwijger.

Zonder Oscar.

Ralf Vollaard schreef in het *Weekblad* een scherp artikel tegen de minister, die hij verweet het onderwijs te willen vervlakken. Zijn artikel heette 'Eenheidsworst'.

Vakcollega's oefenden druk op Oscar uit om toch nog te tekenen. Oscar weigerde. Hij zei dat hij meer dan tien jaar aan Rijksinstellingen Frans had gestudeerd. Nauwelijks afgestudeerd wilde datzelfde Rijk Frans afschaffen. Moest hij een minister duidelijk maken dat Frans nuttig was! Oscar werd nog liever ontslagen. Hij wond zich op, wond zich vreselijk op. Zijn houding zette kwaad bloed. Vervreemdde hem van sectiegenoten.

'Jij zult het mij ook wel kwalijk nemen,' zei Oscar tegen Ralf, 'mijn houding...'

'Nee,' zei Ralf. 'Jij bepaalt toch zelf of je een handtekening zet!' Oscar meende zelfs bewondering in zijn stem te bespeuren.

'Maar ik kan me zo slecht verdedigen. Het is zo

vanzelfsprekend dat je Frans blijft onderwijzen; miljoenen Nederlanders gaan elk jaar naar Frankrijk, in veel Afrikaanse landen waar wij handel mee drijven is de voertaal Frans, dan ga je toch niet...'

Toch zat je in je maag met je wel erg primitieve reactie. Argumenteer dan rustig en word niet onmiddellijk boos. Toen kwam die spreekuuravond voor ouders. De Franse sectie greep de gelegenheid aan om het bedreigde vak onder de aandacht te brengen. Bij de ingang van de school, in de hal en bij alle lokalen stonden grote borden met opschriften. Weer lijsten voor handtekeningen. Oscar weigerde eerst achter een tafel met lijsten te gaan zitten. Maar Laura haalde hem over.

'Ik vind overigens dat je zelf ook moet tekenen, Oscar,' zei Laura, die avond charmant, verlegen, zij verzamelde de meeste handtekeningen. In die roes tekende hij inderdaad. Hij had de lijst nog niet aan zijn sectieleider overhandigd of hij had er al spijt van.

Omstreeks die tijd gingen er ook geruchten dat er flink besnoeid zou worden op de salarissen. Oscars collega Frans, ook districtsbestuurder van het Genootschap, sprak hem aan: 'Misschien zou je nu lid willen worden. Elk lid hebben we hard nodig om een vuist te maken. We vechten ook voor jouw salaris.'

Oscar weigerde. 'Je hoeft niet voor mij te vechten. Onze salarissen zijn hoog, gelijk aan of nog hoger dan dat van een referendaris op een ministerie. Mijn vader stond 's morgens om vijf uur op en kwam 's avonds bij donker weer thuis. Met een inkomen dat ver onder het minimum lag. Hij klaagde nooit, kwam nooit in opstand, demonstreerde niet. Eerlijk gezegd vind ik het zelfs gênant om tijdens de vakantie te worden doorbetaald.'

Uit drift schopte hij tegen het rek met onderwijstijdschriften.

10

Weer was een jaar verstreken. Weer een openingsdag. Gebruinde docenten. Hun vakantie-ervaringen. Carnac, Carnac Plage, Sarlat. Nog steeds de boze verkrachtingsdromen van Hannie.

Oscar zag haar een beetje terzijde staan, alleen, stapte op haar af. Hij zoende Hannie op beide wangen, maakte haar complimenten over haar vrolijke zomerjurk, over het lint in haar haar. Nog een lieve opmerking. Oscars hart liep over. Hannie begon te huilen. Dikke tranen rolden over haar tanige, gegroefde huid. Oscar stond er wat onhandig bij, wist niet hoe hij haar moest troosten.

Hannie huilde harder, rende met de handen voor het gezicht de leraarskamer uit. We kenden allemaal deze huilbuien. Meestal kwamen ze in de loop van het jaar. Dan bracht een van de conciërges haar naar huis. Nu deed Oscar dat. Het leek wel of hij de crisis veroorzaakt had.

Hannie woonde in een flatje achter de school. Hij bracht haar tot aan de deur, wilde toen weggaan om op school de opening bij te wonen. Maar ze wilde dat hij mee naar binnen ging. Hij volgde haar de kamer in. Alle muren vol met kinderfoto's. Duizenden foto's van vreemde kinderen. Ook in de keuken, ook in haar slaapkamer. Allemaal kinderen van een jaar of vijf, zes. Ook foto's van Oscar met Sander en Marijke, stiekem genomen, op de kermis, in het zwembad, tijdens schoolsportdagen.

Ze maakte thee voor hem. Na een halfuur wilde Oscar opstaan. Ze bood hem weer thee aan. Toen een glas sherry. Oscar stond resoluut op, zei dat hij nu echt weg moest.

'Nog één sherry,' smeekte Hannie. Oscar weigerde. Hannie zei toen dat ze hem er niet uitliet. Oscar kende haar nukken. Hij bleef nog even naar haar kijken, maar zij hield haar hoofd afgewend. Hij wierp een laatste blik op de foto's en ging naar school.

's Avonds vertelde hij Laura wat hij gezien had.

'Ze loopt toeristen achterna, spreekt ze aan. Die vinden dat oude dametje zo lief, zo bijzonder dat ze van haar ook een foto maken te midden van hun familie. Hannie Tellegen moet op duizenden vakantiefoto's staan. Wie zal zich die dame nog herinneren na zekere tijd? Wie zal dan nog kunnen zeggen wat die onbekende dame toch op dat vakantiekiekje doet?'

De volgende dag kwam hij Hannie in de gang tegen. Oscar groette vriendelijk, als altijd, bleef staan om haar te vragen hoe het ging. Ze groette niet terug, keek de andere kant op. Oscar dacht dat ze zich misschien een beetje schaamde vanwege al die foto's. Niemand wist immers iets van die krankzinnige hobby af. Toch wilde hij niet zomaar weglopen. Hij raakte even haar arm aan. Hannie begon te krijsen. Ze gilde dat hij van haar af moest blijven, dat hij uit haar buurt moest gaan. Ze bonsde met haar handen tegen de glazen wand van de conciërge-loge. Er waren veel leerlingen en docenten blijven staan. De conciërge bracht haar naar huis. Vanaf dat moment ging het gerucht dat Oscar haar thuis lastig zou hebben gevallen. Arme Oscar!

11

De zondag na de scène met Hannie sloeg Oscar de kerkdienst over. Met Laura en de kinderen fietste hij, achter de heuvel, over de hei. De zondag daarop ging hij ook niet.

Nooit meer naar de kerk. De kinderen ook niet. Op zondagmorgen zat Oscar in de tuin een boek te lezen, of hij probeerde op zijn kamer uit al het verzamelde materiaal een aantal ideeën voor zijn proefschrift te distilleren. Zonder veel hartstocht. Hij had misschien een beetje gevoel voor historische grammatica, kon een literaire tekst aanvoelen, maar miste de intelligentie om in vormloos materiaal werkelijk orde te brengen. Liever fietste hij met Laura en de kinderen over de oude hessenweg, dwars over de hei.

Je kon de kerk heel goed missen. Wat jammer van al die mooie zondagochtenden. Hij had ze beter kunnen besteden, aan spelletjes met zijn kinderen, aan fietstochten. Vanaf die tijd droeg Oscar Kristelijn op zondag zijn donkere pak met vest niet meer. Laura heeft het later naar het Leger des Heils gebracht.

Het bijbellezen werd na een poosje ook gestaakt. Het bidden aan tafel hield het langst stand. Op een dag wilde iedereen zomaar met eten beginnen; Oscar protesteerde.

'Maar,' vond Laura, 'als je niet meer gelooft, is het ook niet zinvol om te bidden.' Oscar wilde nog zeggen dat je met bidden je afhankelijkheid bekende van iets dat buiten je stond. Maar Laura had gelijk.

Na enige maanden kwam een ouderling aan de deur. Hij wilde graag een avondje met meneer Kristelijn praten. Laura zei dat haar man nog niet thuis was, maar ze zou de boodschap overbrengen.

'Misschien wil hij met mij bidden,' zei Oscar later. 'Bel jij hem en zeg dat ik wel contact met hem zal opnemen.'

'Dat doe je tóch niet. Ik vind dat je die man behoorlijk moet ontvangen en eerlijk moet zeggen wat je ervan vindt.'

'Ik wil niet met hem discussiëren,' protesteerde Oscar.

'Er is vanmorgen ook een aanslag van de kerkelijke belasting gekomen. Als je niet meer naar de kerk gaat, vind ik het ook niet nodig dat je elk jaar zes- of zevenhonderd gulden belasting betaalt.'

‘Alles gaat opeens zo vlug,’ zei Oscar. ‘Te zijner tijd had ik me willen laten uitschrijven. Nu nog niet.’

’s Avonds schreef hij de ouderling een korte brief. Hij liet zich met zijn gezin uitschrijven. Geen lid meer van een kerk. Het zweet stond hem op het voorhoofd terwijl hij schreef. Hij behoorde nu tot degenen die op formulieren bij godsdienst ‘geen’ invulden, mensen met wie hij altijd medelijden had gehad omdat ze God niet kenden en eeuwig verloren zouden zijn. Hij bracht de brief direct naar de brievenbus. In stilte begraven. Een oude vriend. Liet een man van ruim dertig na. Oscar liep de volgende dag rond met een licht gevoel, een beetje opgewonden door dit plotselinge, zo definitieve verlies, een tikje verlaten ook. En bang. Hij stelde zich het zoemen voor van telefoonlijnen tussen God en zijn engelen. Daar werd geweend. Er werd in de hemel altijd geweend om het verlies van een mensenziel.

Diezelfde week stierf een collega op school. Hartstilstand, tijdens de les. De hele schoolgemeenschap woonde de dienst bij. Oscar kwam de kerk uit. Aan het eind van het pad wachtte Cora Bekking hem op. Ze gaven elkaar een hand. Cora was helemaal in het zwart. Ze had de dode goed gekend. Oscar ook. Maar Oscar droeg een beige colbert van een gladde stof en een zwart open overhemd. Hij had haar niet in de kerk gezien.

'Ik jou wel.'

Om hen heen reden auto's weg, naar de begraafplaats. Ze zei dat ze nog vaak had gedacht aan wat hij haar toen verteld had, op zijn feestje.

'Maar dat was niets bijzonders,' lachte Oscar. 'Een paar chaotische gevoelens.'

'Ik heb er veel aan gehad, juist om dat chaotische misschien. Je weet het misschien al, maar ik ben van mijn man gescheiden.'

Ze besloten om niet naar de begraafplaats te gaan. Reden naar de Bergerie, een uitspanning op de hei. Cora was extra aantrekkelijk in het zwarte mantelpakje, de zwarte netkousen, de lakpumps. Het was erg warm en ze dronken een glas koele witte wijn. Ze spraken over de overleden collega en toen zei Cora dat er al tijdens haar huwelijk een korte relatie met een andere man was geweest. Ze had daar altijd een gevoel van heimwee aan overgehouden, heimwee naar het overspel zelf, het avontuur, de acrobatische toeren om elkaar te ontmoeten, de spanning van de verborgen snaren, de nieuwe landschappen die je je eigen maakte...

Oscar lachte.

'Voor overspel moet je getrouwd zijn. Je had bij je man moeten blijven...'

Ze zei dat zijn lach dieper uit hem omhoogkwam dan bij de meeste andere mannen, dat zijn lach echter was, warmer, doordringender ook, onthutsender...

Oscar lachte weer. Ze reden naar haar nieuwe huis. Drie kleine kamertjes aan een galerij, twaalf hoog, in een nieuwe buitenwijk. Toen hij wegging, vleide Cora dat ze nog niets voor een volgende keer hadden afgesproken.

'Ik bel,' beloofde Oscar.

Ze liet hem nog niet gaan.

'Wat je daarstraks zei, Oscar: seks is net als geld, alleen te veel is genoeg...' Ze stonden in het smalle halletje.

'Heus, Cora, ik bel.'

12

Het was een zondagavond. Oscar en Laura hielden zich schuil op hun slaapkamer. Laura zei dat dit de laatste keer was, dat ze geen zin had om zich weer een halve zondag op hun slaapkamer verborgen te houden.

'Wil jij dan Ralf weer een hele avond op bezoek? Weer een hele avond praten over leerlingen met een I.Q. van boven de honderdveertig? Ik ben er bijna zeker van dat hij vanavond zijn artikel over die particuliere grammarschool langs komt brengen. Ik wil hem niet meer zien!' Oscar struikelde over zijn woorden.

Toen hoorden ze Ralfs Simca de straat inrijden. Oscar knipte haastig het schemerlampje uit. Beneden brandde alleen het lampje dat ze 's nachts altijd aanlieten.

Ralf belde aan. Oscar en Laura zaten in hun donkere slaapkamer. De gordijnen zo strak mogelijk dichtgetrokken.

Ralf belde een tweede keer. Laura fluisterde: 'Hij voelt dat we thuis zijn. Ik hou hier niet van. Zeg dan eerlijk wat je van hem vindt. Het is trouwens een van je weinige echte vrienden op school.'

Ze hoorden hem om het huis heen lopen. Even later reed de auto van Ralf de straat uit.

'Hij is weg,' zei Laura bits, 'en denk maar niet dat hij nog ooit terugkomt. Ik heb toch een zwak voor hem. Hij is ook onze enige bezoeker, sinds weken, sinds maanden. Want wie komen hier nog? We hadden zoveel aanloop... Ongemerkt is dat allemaal opgehouden.'

Ze deed het licht aan.

'Ik mag het nu toch wel aandoen?' Oscar zei niets. 'Wat is er met je?' Ze zag dat hij huilde. 'Je huilt,' zei ze. 'Wat is er dan?'

Oscar haalde eerst zijn schouders op, probeerde de oorzaak van zijn neerslachtigheid te omschrijven: het gevoel geen contact meer te hebben met de mensen en dingen om hem heen, de indruk in een val te lopen, met open ogen, het ontbreken van licht en schaduw, de verwijdering van een aantal collega's, het proefschrift waar niets van terechtkwam... Laura troostte hem. Ze geloofde dat ook de jarenlange studie er iets mee te maken had. Oscar had zich nooit ontspanning gegund, wilde altijd weer verder. Ze dacht ook dat hij de kerk miste. Oscar ontkende dat.

Ze gingen vroeg naar bed.

Hé Oscar, waarom zien we je eigenlijk nooit meer op de feesten van het Willem de Zwijger? Wat is er met je aan de hand? Twee aardige kinderen van wie de oudste over een jaar al naar de brugklas gaat; Laura nog steeds opvallend mooi, heel zorgzaam. Goed, dat proefschrift lukt misschien niet... Eerst kwam je op alle partijtjes en Laura maakte van die heerlijke, scherpe sauzen, en je was zo vrolijk, je danste zo goed en je was trots om ergens met Laura te verschijnen. Ook al niet meer op volley. Je vond het peil te laag. Gelijk heb je. Sinds Ankie ergens anders een betrekking heeft gekregen, is het peil ook gezakt. Maar waarom is Laura geen lid meer van de WZVC? Had ze echt geen zin meer of heeft ze zich door jou laten ompraten? Als je weer in de contramine bent en je al je collega's nietszeggend en dom vindt, provinciaal rumoerig als de feesten op hun eind lopen; noeste ploeteraars die in een trimester wel negen repetitiecijfers van hun leerlingen verzamelen om het rapportcijfer vast te stellen en met die ijver geuren op vergaderingen; de vaak schutterige vrouwen, vol halfslachtige seks; hun bij geruchte vernomen avontuurtjes die je treffen als onbehoorlijk, tegenvallend, bespottelijk.

En jijzelf dan? Over schutterige seks gesproken! Na die eerste keer ben je een paar maal bij die aardige Cora Bekking teruggeweest, onverwacht, op ongeregelde tijden. Je ging omdat zij aandrong, dat is waar. Ze begreep niets van je. Op het terras van de Bergerie en op je feestje thuis was je zo spraakzaam geweest. Nu wist je niets uit te brengen. Cora wilde zo graag met je gaan eten. Je beloofde dat jullie samen uit zouden gaan maar liet niets meer van je horen. Cora belt naar school. Je vraagt de conciërge of hij mevrouw Bekking met je wil doorverbinden. En... je had gehoopt verliefd op haar te worden. Dat gevoel nog eens meemaken! Misschien begeerde ze jou te openlijk. Stootte dat af. Op school deed het verhaal de ronde dat je iets met haar zou hebben.

In de pauzes zagen we je niet meer in de leraarskamer. Je beende onrustig door de gangen van de school of bleef in je lokaal. In dat jaar bedierf je de verjaardagsfeestjes van je kinderen door met het eten waar Laura zoveel werk van had gemaakt, niet thuis te zijn. Het was ook in die tijd dat Marijke een keer van school thuiskwam en aan tafel vroeg of de paus nu eigenlijk protestant of katholiek was. Je schrok van zoveel onbegrip. Jij, die thuis behoorlijk antipaaps was opgevoed. Dat kwam er nou van als je niet meer bad, niet meer uit de bijbel las, je kinderen niet meer vóórleefde. Waar leek je op in die tijd? Meer op een papieren bootje, een plastic eendje, stuurloos. Steeds schuwer, steeds ontwijkender. Je liet je leerlingen koffie halen. In de gangen durfde je je niet meer te vertonen, je dacht dat iedereen tegen je was, het op je gemunt had. 's Morgens ging je met een nors gezicht naar school. Laura vond dat je je moest inhouden om de kinderen. Je zei dat je niet meer naar school wilde, dat je duizend keer liever met bloemen op de markt stond...

'Het is maar goed dat je moeder je niet meer kan horen,' zei Laura ook nog.

'Maar Laura, ik weet zeker dat het me zou lukken. 's Ochtends vroeg naar Honselersdijk, Rijnsburg of Aalsmeer om bloemen in te kopen. Niet meer de zekerheid van een vast salaris. Als de handel slap is, blijf je dus met je bloemen zitten. Maar je hebt ook dagen dat je in een paar uur "los" bent.' Laura praatte maar met hem mee, allang blij dat hij vrolijk keek. 'Goed,' zei ze, en werd gaandeweg ook enthousiast, 'we gaan bloemen verkopen. Jij hebt charme, jij hebt die joviale manier om mensen op de schouder te slaan, ze voor je in te nemen. Ik help je.' 'Ja,' zei Oscar, peinzend, 'als het druk is moet je me helpen. Een mooie vrouw, dat trekt extra.'

'Mamma, kijk nou, pappa zit te bidden!'

Die oude gewoonte kwam soms terug. Dan sprak hij zelfs het kindergebed uit dat zijn vader hem geleerd had. Zijn vader die van hem verwachtte dat hij het juiste zou doen, zou volhouden.

En het was op een van die dagen dat Laura, toen zij het flessenrek voor de melkboer buiten zette, zag dat het naambordje door het oude vervangen was. Er stond weer, net als in het begin: O. Kristelijn.

Einde van een droom.

13

Nog geen halfjaar later zagen we Oscar op een dag het gemeentehuis binnengaan. Aan de balie vroeg hij naar de wethouder van algemene zaken.

'Heeft u een afspraak?'

'Ja,' blufte Oscar.

Hij wachtte in een lichtgrijs geschilderd vertrek. De wethouder ontving Kristelijn, verbaasd. Hij kende Oscar wel omdat deze zijn kinderen in de klas had gehad. Oscar, handig, met een sterk geheugen, maakte direct van die situatie gebruik, vroeg naar de kinderen van de wethouder, wist zich hun namen te herinneren, hun uiterlijk, zelfs de plaats waar ze in de klas hadden gezeten. Hij prees, terecht, hun ijver, hun intelligentie, hun beschaving. Na ruim een uur kwam Oscar het gemeentehuis uit. In een veel beter humeur. 'Wat is Kristelijn vrolijk vandaag,' zeiden de leerlingen. 'Mamma, wat is pappa vrolijk,' zeiden Marijke en Sander. 'Wat is er met pappa?'

Zelfs Laura wist het niet.

Een week later zagen we hem weer door de automatisch openschuivende deuren van het gemeentehuis gaan. Een paar dagen erna opnieuw. Wat deed hij daar toch?

Je zag Oscar veranderen. Hij danste door de school, was actief, gehaast, als vanouds. Maakte weer een praatje met de conciërge, de schoonmaker, de amanuensis, liep de docentenkamer binnen, schreef zich zelfs in als scheidsrechter bij het leerlingen-volleybaltoernooi, hielp leerlingen die door ziekte achterop waren geraakt.

De oude Oscar weer!

Maar liep hij niet te hard van stapel? We hielden onze adem in. Waar moest dat op uitdraaien?

Je zag hem nu overal. Liep een groot garagebedrijf binnen, had een lange bespreking met iemand van de Gelders Utrechtse Spaarbank, kwam geregeld bij de administrateur van school. Als Laura vroeg wat hij toch in zijn schild voerde, lachte hij geheimzinnig, sloeg een arm om haar heen, zei dat ze nog even geduld moest hebben. Laura vroeg niet verder, was al blij dat hij weer plezier in het leven had.

En wij, we dachten allemaal dat de plannen die je uitbroedde... een bevlieging. Dat kon toch niet serieus zijn?

Maar waarom juichte je dan inwendig als je door de gangen van de school liep? Er moest iets aan de hand zijn. Waarom sprak je zoveel mogelijk leerlingen, collega's, niet-onderwijzend personeel aan, alsof je ze binnenkort nooit meer zou zien? En je gaf weer les als in je beste dagen, sprak snel en enthousiast, alsof de stof van een heel jaar in een paar lessen moest worden gepropt. Het was duidelijk van je beweeglijkheid af te lezen: je was met een ongewone onderneming bezig.

Toen kwam je laatste dag op het Willem de Zwijger. In de gang botste je tegen Ralf Vollaard op, die je toevertrouwde dat hij minder uren ging geven om zich nog meer aan het beleidswerk van het Genootschap te kunnen wijden, die ook zei dat de minister nu rechtstreeks op zijn artikelen in het *Weekblad* reageerde, hem zelfs al had uitgedaagd voor een debat. En jij? Jij keek hem geïnteresseerd aan en je zei dat je zijn laatste stukken erg sterk vond, heel sterk, vooral die waarin hij niet het standpunt van de Bond vertolkte maar à titre personnel sprak. 'Nee werkelijk, Ralf, je gaat steeds soepeler schrijven.' En op de valreep deed je hem nog een mooi onderwerp aan de hand. De docenten op kleine gymnasia hebben altijd met hoogbegaafde, zeer gemotiveerde leerlingen te maken. Het onderwijs aan zulke leerlingen moet lang niet zo vermoeiend zijn als aan die toch wat domme of vaak gedemotiveerde leerlingen van atheneum en HAVO. 'Daar zou je iets over moeten schrijven. Over die discrepantie. Of niet? Je zou bijvoorbeeld de stelling kunnen verdedigen dat docenten aan een superieure school minder vakantie nodig hebben...'

Ralf keek je zwijgend aan, streek over het tegen zijn schedel gekamde haar, Ralf met zijn al bijna kale hoofd, met zijn vlashaar dat vroeger donkerbruin en krullend moet zijn geweest, het al ronde buikje boven de te strak aangetrokken broekriem... kon iemand die er zo gewoontjes uitzag zich met zulke gewichtige zaken bezighouden? Ralf deed zijn mond open, je dacht dat hij iets beslissends ging zeggen... Maar dat is er toch niet uitgekomen. Hij trok zijn voorhoofd in rimpels en zweet liep in straaltjes langs zijn slapen. Zonder een woord te zeggen draaide hij zich om. Je volgde hem met je ogen, gehypnotiseerd. Hij was de eerste op school die zich tot jou had gewend... en hij keerde zich nu definitief van je af. Je zag hem weglopen, de gang in. Je wilde hem toch nog narennen, nog naroepen en zeggen dat je hem ook mocht, tegen hem opzag omdat hij duidelijke opvattingen had over de inrichting van het onderwijs, omdat hij zo hardnekkig voor de sterken in de samenleving opkwam, dat je het zo niet bedoelde... Hoe bedoelde je het dan? Je maakte nog een machteloos gebaar. Je zou hem nooit meer terugzien. Elite, gymnasium, Lions-club. Wat de verdwijning van mensen zo duidelijk voelbaar maakt, zijn de wachtwoorden die tussen hen en ons bestaan hebben en die opeens nutteloos en leeg zijn geworden.

Oscars laatste dag op school kwam hem bijna als een plechtige aangelegenheid voor. Wel trakteerde hij de docenten op warme kroketten (geen sprits, geen gevulde koeken en ook geen amandines met roze glazuur). Men feliciteerde hem, dacht dat hij jarig was. Onder zijn collega's waren er die blij waren dat de verloren zoon weer was teruggekeerd, er weer helemaal bij hoorde.

Oscar ruimde na de laatste les, om drie uur, zijn bureau op en kwam met een klein stapeltje presentexemplaren thuis. Misschien dat zijn kinderen die nog zouden kunnen gebruiken. Laura wist nog steeds van niets. Maar diezelfde dag al kreeg hij zijn bestelwagen met houten rolluiken. En hij kondigde aan dat hij de volgende ochtend om vier uur op zou staan om naar de veiling in Rijnsburg te gaan.

Laura had zoiets natuurlijk al vermoed. Maar ze schrok er toch van. Hoe moesten ze de vaste lasten van het huis betalen? En de kinderen gingen ook steeds meer kosten. 'Natuurlijk lopen we risico's,' zei Oscar rustig. 'Geen vast salaris meer, geen pensioenvoorziening.' 'Dan ga ik weer werken,' zei Laura, die vroeger ook voor de klas had gestaan.

Oscar keek haar aan. 'Ik ga bij het onderwijs weg en jij zou er daarom naar toe moeten? Ik wil dat je me helpt. Samen de kost verdienen, in het zweet onzes aanschijns.'

Ja, Oscar Kristelijn drijft nu een vaste bloemenkraam op het nieuwe marktplein. Vrijwel op de plaats waar vroeger café Marktzicht heeft gestaan. Zijn kraam is al een geduchte concurrent van de gevestigde bloemenzaken aan het worden. Hij heeft dan ook een prachtig assortiment. Hij verkoopt niet alleen, hij schikt de bloemen ook tot prachtige boeketten, zoals zijn vader vroeger deed.

Kijk, hij is nu bezig. Een gewaagde combinatie van roze pyrethrum, blauwe scabiosa en helrode lichnis. Hij schudt het boeket op, houdt het in het zonlicht zodat de tinten samenvallen.

Via de wethouder, die tevens diaken is, heeft hij ook de klandizie van de kerk gekregen. Elke week ververst hij de vazen met bloemen aan weerszijden van de avondmaalstafel.

Hij komt dus weer iedere week in de kerk. Maar door de week is het er kil en donker. Altijd gaat hij even in zijn oude kerkbank achterin zitten, sluit het deurtje, luistert naar de koerende duiven achter de gebrandschilderde ramen. Dan kijkt hij naar het grote kruis tegen de wand achter de preekstoel, en wacht.

Onlangs heeft hij God, met angstig hart, een beetje getart. 'God,' zei hij hardop, 'als U bestaat, geeft U dan een teken. Dat is voor U een kleinigheid. Ik heb U in mijn leven toch lang gezocht. Een klein teken: mijn naam noemen, mij even aanraken, een geruis van wind, een donderslag bij heldere hemel, het plotselinge zwijgen van de duiven.' Hij sloot zijn ogen en wachtte. Nee, God wilde zich niet laten kennen. God had van zijn kant natuurlijk gelijk dat hij zich niet door een zekere Oscar Kristelijn, voormalig leraar Frans aan het Willem de Zwijger College, liet uitdagen. Misschien was God er wel helemaal niet. Misschien was Hij een gevoel, zoals liefde, jaloezie, wraak.

Ergens in de kerk ging een deur open. Oscar schrok, dacht heel even dat zijn vader op hem toekwam. Het was een schoonmaker, die een gigantische stofzuiger meetrok.

Oscar verliet de kerk, een paar bossen verwelkte gladiolen in zijn arm.

En de klandizie van zijn oud-collega's! Eerst moesten ze een zekere schroom overwinnen. Maar ze waren nieuwsgierig; ze hoorden al gauw dat hij prima spul verkocht. En tegen een lage prijs. Omdat de salarissen van de ambtenaren maar bleven kelderen...

Ze blijven altijd een praatje staan maken, lichten hem in over zijn beide kinderen, die ze nu in hun klas hebben. Soms fluistert er eentje in zijn oor dat hij ook wel zo'n handeltje zou willen beginnen. Zijn kinderen kunnen trouwens goed mee. Self-fulfilling prophecy.

Zijn kraam gaat 's morgens om acht uur open. Op dat moment ziet hij juist zijn vroegere collega's over het marktplein fietsen. Op weg naar school. Dan kent hij weer dat lichte, bevrijde gevoel uit de tijd dat hij niet meer naar de kerk ging. Hetzelfde heimwee ook. Weemoed omdat sommige dingen zo definitief voorbij zijn.